真説 日本左翼史

戦後左派の源流 1945—1960

池上 彰　佐藤 優

講談社現代新書

2620

はじめに

「社会主義と共産主義って、何が違うんですか？」
「右翼と左翼って、何ですか？」
「スターリン主義って、共産主義のことですよね？」

このところ若い人たちからよく投げかけられる質問です。いまや社会主義と共産主義の違いがわからない人たちが社会の多数派になっていることを痛感します。「スターリン主義」という言葉も聞かなくなってしまいました。聞かなくなっても存在が消滅したわけではないのですが。

アルメニアとアゼルバイジャンの戦争は「スターリンの負の遺産が引き起こしたもの」と説明しても、「スターリンって、どんな人だったんですか」と問い返されてしまいます。ソ連（ソビエト社会主義共和国連邦、現ロシア連邦）は遠くなりにけり、です。

考えてみれば、ソ連崩壊から三〇年も経っているのですから、ソ連のことを知らない人が増えたのも当然のことでしょう。まして、ソ連の存在が、日本の社会主義運動にどんな影響を及ぼしていたのかなど、知る由もないでしょう。

今年二〇二一年は中国共産党創設一〇〇周年です。ということは、来年二〇二二年は日本共産党創設一〇〇周年です。中国共産党は、過去の自らの失敗を糊塗して、輝かしい党史を偽造しています。では、日本共産党は、過去を正しく直視することができているのでしょうか。

こんな思いを抱いていたところ、佐藤優氏から「日本でも社会主義が再評価されようとしています。ここで過去の功罪を再検討してみましょう」という問題提起をいただきました。それでは日本の左翼の歴史を振り返ってみようではないか、ということになりました。

本書では、第二次世界大戦後、一九四五年から一九六〇年までの左翼運動の歴史を日本社会党と共産党の動向を柱に論じました。共産党の「山村工作隊」や「所感派」と「国際派」の分裂など、いまの若い共産党員には驚くような過去があったのです。

社会党から名前を変えた社会民主党は、選挙のたびに国会議員の数を減らし、党員も高齢化が進んで消滅の危機に瀕していますが、かつては日本の政治に大きな影響力を維持していたのです。

いまになってみれば、こうした歴史は、いわば「忘れられた近現代史」とも言えるでしょう。学校の歴史の教科書には登場しないような左翼の歴史を振り返ることは、なぜ左翼運動が衰退したのかの原因究明にも役立つことでしょう。

今後のシリーズは、一九六〇年以降、いわゆる新左翼運動の勃興と没落を論じることになります。新左翼運動は、当時マスコミから「反代々木」とも呼ばれました。日本共産党の本部が代々木にあり、その共産党の方針に反旗を翻した運動だったからです。その運動は次第に過激になり、警察など治安当局からは「極左暴力集団」と呼ばれました。

こうした運動は、一時は大きく盛り上がりましたが、やがて分裂を繰り返し、内ゲバによって支持者が離れていきます。ここでも「左翼の失敗」があったのです。

さらに今後は、戦前の社会主義運動や共産主義思想の芽生えなども振り返りつつ、左翼の歴史の真説を語り尽くそうという壮大なプロジェクトを構想しています。こんな〝無謀な〟試みは、佐藤優氏がいたからこそ成立しました。今後の取り組みにも期待していただければと思います。

二〇二一年五月

池上　彰

目次

第二章　左派の躍進を支持した占領統治下の日本（一九四六〜一九五〇年）——— 85

第三章　社会党の拡大・分裂と「スターリン批判」の衝撃——（一九五一～一九五九年）　141

第四章　「新左翼」誕生への道程
（一九六〇年～）

序章
「左翼史」を学ぶ意義

……社会の分断、戦争の危機。激動の時代を生き抜くために、
「左翼の論点」を再検討すべき時が来ている。

▼議論の準備① 左翼とは何か？

なぜいま「左翼史」なのか

佐藤優　今回の対談を通じて、私は日本の近現代史を「左派の視点」から捉え直す作業を池上さんとやってみたいと考えています。なぜ今それをしたいのかというと、まず一つ目の理由として、私は「左翼の時代」がまもなく再び到来し、その際には「左派から見た歴史観」が激動の時代を生き抜くための道標の役割を果たすはずだと考えているからです。

池上彰　たしかに近年、白井聡《しらいさとし》さんの『武器としての「資本論」』（東洋経済新報社）や、斎《さい》藤幸平《とうこうへい》さんの『人新世の「資本論」』（集英社新書）など、マルクス主義を新たな視点から捉え直し、解説した本が話題になることが増えていますね。二〇一三年にフランス語で刊行され、翌一四年に日本語翻訳版が出てベストセラーになったトマ・ピケティの『21世紀の資本』（みすず書房）にしても、世界各国で起きている格差の拡大について分析した本でした。

佐藤　マルクスの読み直しが盛んに行われているのは、格差や貧困といった社会矛盾の深刻化が背景にあるからにほかなりません。特に二〇二〇年からの新型コロナウイルスのパンデミック以降は、格差がさらに拡大し、命の問題に直結するようになってきました。二〇二〇年には自殺者が一一年ぶりに増加に転じ、特に女性の自殺者が前年より八八五人も増えました。この事実からは、以前から非正規など不安定な雇用環境で働いていた人たちが、コロナという災厄の影響を真っ先に受けている現状が透けて見えます。

格差の是正、貧困の解消といった問題は、左翼が掲げてきた論点そのものです。

本来ならばこうした不公平・不公正は民主主義的な制度・手続きのもとで調整され、矛盾を解消していくべきです。しかし現在は、その民主主義そのものが機能不全に陥ってしまったことで難しくなっています。

特に、冷戦終結以来長く「民主主義の模範」とみなされてきたアメリカ型の民主主義に至っては、極端に大衆扇動型の指導者を誕生させたこともあって、社会の矛盾を是正するどころか、今や制度自体が社会に分断を生む元凶なのではないかという疑念さえ持たれるようになってしまいました。

池上　二〇二一年一月にトランプ前大統領に扇動された群衆が暴徒と化してアメリカ議会議事堂に突入し、警官を含む五人が亡くなりました。この事件もまた、そうした民主主義に対する懸念を増してしまった可能性は否定できませんね。

佐藤　格差・貧困に加えて戦争の危険もかなり現実味を増しています。二〇二一年一月に行われた北朝鮮の第八回大会の軍事パレードでは、新型の潜水艦発射弾道ミサイル（SLBM）など、多くの新型兵器が公開されました。

池上　これ見よがしにお披露目されていましたね。米国でバイデン新大統領の体制が発足する前に、自らの軍事力を誇示したいという狙いは明らかでした。

佐藤　トランプ時代の米国は良くも悪くも内向きでしたので、対中国、対北朝鮮関係は例外的に安定していました。しかし、バイデン政権になって旧来の価値観に基づく外交が再開されると、南シナ海の群島や人工島の領有権を主張している中国との軍事的緊張はオバマ政権時代並みに高まるでしょうし、北朝鮮との関係も悪化するでしょう。東アジアで戦争を起こしかねない動きに対峙し、好戦的な空気に対抗する思想の価値が増していくはずです。

池上　そうした明日をも知れない状況にあって、人々は何かに救いを求めずにはいられなくなっていくでしょう。そのときに、**反戦平和、戦力の保持をめぐる問題も、左翼が議論を積み重ねてきた主要な論点となってきます。**

佐藤　ええ。右翼にしても左翼にしても、**思想や政治運動というものは、その時代時代に特有の社会構造に対する反作用として出てくるものです。**政治の腐敗や社会に対する不満が高まると、急進的で改革を叫ぶ左翼が活発になりますし、改革が行き詰まると漸進主義的で歴史に回帰する保守的な主張が増えてくることは、フランス革命をはじめとした歴史を見れば明らかです。

現在の世界で顕《あらわ》になっている社会の機能不全に対して、人々が左翼的な思想に再び注目し、左翼勢力が台頭する可能性は非常に高いと思っているのです。

友愛を取り戻すための「左の教養」

佐藤　もう少し原理的な説明をすると、人類が近代以降に重視してきた「自由・平等・友愛」という三つの価値がありますよね？　この三つは、自由を重視すると格差が拡大して平等ではなくなるし、平等を重視すると社会から自由が失われていく、しかし自由と平等の間で、友愛（フランス語の「fraternité」。「博愛」「同胞愛」などとも訳されるが、皆が他人を兄弟のように愛することを指す）が二者の調整原理として働くことでようやく社会が安定するという関係にあります。

一方で現代の社会からは、その調整原理としての友愛が失われて機能しなくなっています。だから、友愛に代わる調整原理としての左翼思想が必要とされる時代が来るのではないか、と思っているのです。

こうした潮流は日本国内だけを見ていると実感が湧きにくいかもしれませんが、世界的に見ればすでに顕在化しています。

たとえば、一〇代のスウェーデン人少女グレタ・トゥーンベリさんを旗印とした地球温暖化に対するグローバルな抗議運動、あれなどは、私は現代版の左翼思想、エコロジカルになったマルキシズムだと思います。

あるいはトランプが目の敵にしていたＡＮＴＩＦＡ[1]という運動にしても、「反ファシズム」を掲げた、国境を越えた人民統一戦線と捉えることができます。

それにアメリカではいま「社会主義（socialism）」という言葉が頻繁に用いられるようになっています。伝統的に社会主義に対して抵抗感の強いアメリカでこのような事態が起こっていることの意味を考えなければなりません。

池上　フランスでは、一般の国民たちが黄色い反射材でできたベストを連帯の印として身につけ、燃料税の値上げに抗議したり最低賃金引き上げを訴えたりするデモが二〇一八年に始まり、二〇二一年現在も続けられています。この「黄色いベスト運動」もそうした潮流のひとつでしょうね。

佐藤　そうです。ですから左翼運動は世界的に見れば明らかに復活の兆しがありますし、その波は遅かれ早かれ日本にも必ずやってきます。だからこそ今のうちに、**左の教養を学んでおく必要がある**のです。

「リベラル」と「左翼」は対立的な概念

佐藤　左派の視点から近現代史を捉え直すことが必要と考える第二の理由は、左翼というものを理解していないと、今の日本共産党の思想や動向を正しく解釈できず、彼らの思想に取り込まれる危険があるということです。問題は、最近の若い人たち——私たちからすると、「若い人」というのは四〇代まで含めた話ですが——は、左翼のことをあまりに知らなすぎるということです。私が最近、一番それを感じて危ないと思ったのが、数年前から噂されている「枝野革マル説」です。

池上　立憲民主党の枝野《えだの》幸男《ゆきお》代表が、警察白書で「極左暴力集団」と名指しされている革マル派[2]のシンパであるという説ですね。

　枝野氏が革マルとの関係が指摘されているＪＲ総連から献金を受け取っていたことが根拠になっているようですが。

1　ＡＮＴＩＦＡ（アンティファ）：ファシストに反対する勢力のこと。二〇二〇年、アメリカで盛り上がった反黒人差別デモに関して、トランプ前大統領が「ＡＮＴＩＦＡをテロ組織として認定する」と発信して物議をかもした。

2　革マル派：日本革命的共産主義者同盟革命的マルクス主義派。反帝国主義、反スターリン主義を掲げる。理論的指導者は黒田寛一。

佐藤　これがありえないということは、枝野氏の出身大学である東北大学が一九八〇年代は中核派[3]の主要拠点のひとつであることを理解してさえいればわかるはずなんですよ。仮に彼の年代で、東北大学で革マルのシンパなどやっていたら、リンチに遭って学業を全うできるはずはありませんから。そういうことを含めて愚にもつかない話が、いまネットを中心に山ほど転がっているんです。

池上　立憲民主党と革マルのつながりを安易に信じてしまうくらいだと、学生運動や過激派の流れを作った「新左翼」と共産党の区別もついていないんでしょうね。

佐藤　あるいは「左翼」と「リベラル」が全然別の概念だということも理解されていません。**本来はリベラル（自由主義者）といえば、むしろ左翼とは対立的な概念です。**たとえば、左翼は鉄の規律によって上から下まで厳しく統制され、またそれを受け入れるものであったのに対して、リベラルは個人の自由を尊重する思想ですから、そうした規律を嫌悪します。でも今では、左派とリベラルがほとんど同じもののように考えられています。

池上　ただ、そこには「左翼」と呼ばれることを嫌った「オールド左翼」たちが、自らを「リベラル」と称するようになったことも背景にあるかもしれませんが。

忘れ去られた「左翼」の定義

佐藤　左翼はきわめて近代的な概念です。もともと左翼・右翼の語源は、フランス革命時の議会において、議長席から見て左側の席に急進派、右側に保守派が陣取っていた故事に由来します。この左翼、つまり急進的に世の中を変えようと考える人たちの特徴は、まず何よりも理性を重視する姿勢にあります。

理性を重視すればこそ、人間は過不足なく情報が与えられてさえいればある一つの「正しい認識」に辿り着けると考えますし、各人間の意見の対立は解消される、そうした理性の持ち主が情報と技術を駆使すれば理想的な社会を構築することができる、と考えます。

池上　一九～二〇世紀の左翼たちが革命を目指したのも、**人間が理性に立脚して社会を人工的に改造すれば、理想的な社会に限りなく近づけると信じていた**からですね。

佐藤　そうです。ですから現在一般的に流布している「平和」を重視する人々という左翼観は本来的には左翼とは関係ありません。理性をあくまでも重視し、理想の社会を目指す以上は、敵対する勢力と戦わなければいけないこともありますし、ロシア革命を指導してソ連の建国者となったレーニンは「現在の帝国主義戦争（第一次世界大戦）を内乱に転化せ

3　中核派：革命的共産主義者同盟全国委員会。革マル派同様に共産主義革命の実現を掲げるが、一九六〇年代末から七〇年代にかけては、革マル派との内ゲバに明け暮れた。

よ」と言っていたくらいですからね。

また意外と見逃されている事実ですが、伝統的な左翼は基本的に人民の武装化を支持するものです。職業軍人のような社会の中の特定の層の人たちが武装するのではなく国民皆兵、つまり全人民が武装すれば、国家の横暴にも対抗しうると考えるからです。

一方で右翼（保守派）の特徴はなにかといえば、彼らも理性を認めないわけではありません。しかし人間の理性は不完全なものだ、と考えているのです。

人間は誤謬性から逃れられない存在なので、歴史に学ぶ謙虚な姿勢が必要です。左翼のように無闇にラディカルな改革を推し進めるのではなく、漸進的に社会を変えていこうと考えるのが本来の右翼です。

たとえば、王や貴族、教会などの存在は、どうして必要なのかを問われて合理的な説明ができる人はいません。しかし長年のあいだこの世に存在してきた以上は、その背後には何らかの英知は働いているはずであり尊重しなければいけない、という考え方を右翼はします。これが左翼と右翼の根本的な違いです。

池上　私も佐藤さんの左翼観に同意します。戦前から戦後にかけての長い時期に、いわゆる高学歴の秀才たちは、総じて理性に依拠する左派の考え方に魅かれていきました。

しかし現在の左翼・右翼像と照らし合わせて、佐藤さんの説明に違和感を覚える人もいるでしょうね。時代とともに、「左翼＝反戦平和」といった左翼観に変貌した印象があります。

佐藤　そうですね。たしかに現在の日本における左翼・右翼像はいま私が言った本来の姿からはかなり遠ざかっています。

先ほど言った、左翼とリベラルの混同もさることながら、右翼＝保守派の側も、教育基本法を改正すれば立派な国民ができあがる、「愛国心」を憲法に書き込めば国民の間に愛国心が育つ、などと言い始めています。でもこうした、**国民の心情・精神に人工的な改造を施そうなどという発想は、もともとは左翼の構築主義に典型的に見られたものです。本来の保守派はこのような発想はむしろ嫌うものです。**

戦後左派が一貫した「反戦平和」

池上　そういう意味では、現在の日本では左翼と右翼に関してものすごく大きなねじれが生じていると言えますね。どうしてこのようなねじれが生じてしまったのでしょうか？

佐藤　それに関しては社会党、つまり現在の社会民主党の前身であり、一九四五年の結党から一九九〇年代の半ばまで日本の最大野党として、日本の左翼運動で主導的な役割を果たした政党の影響がひじょうに大きいと思います。

社会党の基本理念である社会民主主義[4]は資本主義体制における格差や貧困の問題を解消しようとする思想ですが、かつて社会党左派の中央執行委員を務め、社会党の運動理論を組み立てた主要理論家のひとりでもあった清水慎三《しみずしんぞう》が『日本の社会民主主義』で明らかにしたように、日本社会党は西欧型の社会民主主義とも違う日本型の社会民主主義を独自に作り上げてしまった面があります。

たとえば革命の実践にあたっては、レーニンが行ったような武力革命を拒絶し、一貫して平和革命を志向しました。平和革命を単なる望ましいことではなく、必須・必然のことであるとして絶対譲らなかったのです。

もし社会党の内部で暴力革命など主張しようものなら、「社会党を離れて他でやってくれ」という話にすぐになりました。

池上　この、**同じ革命でも暴力に訴えず平和的な手段で実現するのだという社会党のこだわりは、長く悲惨な戦争に疲れ切っていた戦後左翼の多数派の心情にぴたりと合致したの**でしょうし、だからこそその後も揺るがなかったのでしょうね。また原爆を投下されたことで核兵器への忌避感が民衆レベルで広まっていた戦後の日本にあって、社会党が核兵器に対して首尾一貫して反対してきたことの意味も大きかったのではないでしょうか。

佐藤　その点も重要です。本来的に言えば、左翼は理性ある人間の手元に置かれさえすれば技術はコントロールできると考えるので、核や原発それ自体への抵抗感は持ちません。

池上　そうなのですよね。二〇一一年に福島第一原発の事故が発生した時も、一部の左翼セクト[5]は、「福島原発はブルジョア（資本家階級）である東京電力が管理していたから爆発した。プロレタリアート（労働者階級）が管理すれば事故は起きない」と言っていましたから。

佐藤　それと同じ理由で、日本共産党も冷戦時代の一九六三年、米英ソの三ヵ国が部分的核実験禁止条約に調印した際には中国共産党と歩調を合わせて反対していました。彼らの見方に従えば、社会主義国が保有する核は資本主義国に対する抑止力であって「良い核」だからです。

毛沢東《もうたくとう》などは一九五七年一一月にソ連で開かれた社会主義陣営の各国首脳会議で、「第三次世界大戦は必然的に起こるもので、核戦争で当時の中国の人口（約六億人）が半分にな

4　社会民主主義：一般的には、暴力革命とプロレタリア独裁を否認し、議会制民主主義の方法によって社会主義を実現しようとする思想と運動の総称のこと。多義的な意味を含み、その思想内容についてもさまざまな解釈がある。日本社会党の場合はプロレタリア独裁を認めていた。

5　セクト：ここでは、政治集団やイデオロギー組織として新しく発生した小集団や分離独立した分派のことを指す。分裂を繰り返した左翼の主流派からは複数のセクトが生まれた。

っても三億人は生き残る。（西側諸国との核戦争を）恐れる必要などない」とまで言っています。

しかしこうした姿勢に比べると、社会党のスタンスは、戦後ずっと「左翼らしくない」と言えるほどに「非核」で一貫しています。

その度合いは若干宗教的ですらあるかもしれません。創価学会の第二代会長である戸田《とだ》城聖《じょうせい》は一九五七年、創価学会の当時の青年会員たちに向けて、〈もし原水爆を、いずこの国であろうと、それが勝っても負けても、それを使用したものは、ことごとく死刑にすべきである〉〈われわれ世界の民衆は、生存の権利をもっておりますす。その権利をおびやかすものは、これ魔ものであり、サタンであり、怪物でありま す〉と言い切った「原水爆禁止宣言」を出しています。社会党も核に対してはこれに負けないくらいのタブー視をしてきました。

池上　そうですね。日本に「原水爆禁止日本協議会（原水協）」と「原水爆禁止日本国民会議（原水禁）」という反核・平和団体の二つの全国組織があるのも、社会党と共産党の核に対するスタンスの違いが原因です。

一九五五年に結成された原水協はもともと超党派の団体で、各国の核兵器の所持や核実験の実施に全面的に反対していました。ところが、やがて内部で核の全面廃止を求める社会党のグループと社会主義陣営に属する国の核は認めるべきだとする共産党系のグループとの間で対立が起こり、結局一九六五年に社会党系のグループが脱退して、原水禁を結成しました。

佐藤　このように、**平和、非武装へのこだわりを終始一貫して持ち続けたグループが、左派の勢力図の中で、長いあいだ多数派を占めていたことは、戦後の日本左翼史を特徴づける一つの重要なポイントであると思います。**

左翼の悲劇を繰り返さないために

佐藤　ですから、日本の左翼運動史は共産党だけを軸に見ていては理解できません。**日本の近代史を通じて登場した様々な左翼政党やそれに関わった人たちの行い、思想について整理する作業を誰かがやっておかなければ日本の左翼の実像が後世に正確な形で伝わらなくなってしまう。**私や池上さんは、その作業を行える最後の世代だと思います。

特に懸念されるのが、日本共産党が来年二〇二二年に創立一〇〇年を迎えるにあたり、日本共産党の一〇〇年史を出す可能性があることです。今の状況下で日本共産党が党史を出せば、彼らのバイアスがかかった歴史がそのまま左翼の歴史として流通してしまうでしょう。つまり、世間の人々が左翼と共産党が完全にイコールな存在だと誤解したまま定着してしまうおそれがあります。

池上　それは大いに問題があるでしょうね。左翼の歴史が特定の政党による見方に収斂されてしまうのは健全ではありません。社民党がかつての社会党ほどでなくても、もう少し元気ならそういう心配もないのでしょうが。

佐藤　そうなのです。実は私が今回の対談をどうしても池上さんとしたかった理由の一つは、この社会党の位置づけについて再考したかったからなのです。

これまでに世に出ている日本の左翼運動史の本は、社会党の位置づけについて全く不十分な分析しかできていないんですよ。おそらく今の社民党に所属している党員たちにしても、自分たちの出自に関してしっかりと理解できている人はほとんどいないはずです。ですから私や池上さんのような、社会党のことがある程度分かっている人間がいまのうちに位置づけを明確にしておかないと、誰からも理解されないままに歴史の彼方に追いやられてしまう。

池上　佐藤さんは高校二年から大学二年まで、日本社会党を支える青年組織である社青同（日本社会主義青年同盟）の同盟員であったことを明らかにしていますし、社会党については表も裏も知り尽くしています。社会党の役割を捉え直すうえではまさに適任でしょうね。

私も、社会の矛盾を解消したいと切実に願っていた若い頃には、社会党の中心的な理論家たちが書いた論文を貪るように読んでいた時期があります。またジャーナリストになってからは、自民党に対抗しうる事実上唯一の政党であった社会党には特別の関心を払わざるを得ませんでした。

佐藤　最も怖いのは、今のような誰も左翼のことをよく知らない状況のまま、ふたたび左翼思想が注目されるような時代が来てしまい、人々が無自覚的に時代の波に飲まれてしまう事態です。そうなったら昔の左翼たちが犯した様々な誤り、悲劇がそのまま同工異曲で繰り返されるでしょう。それは避けなければいけません。

先ほど触れた「枝野革マル説」にしても、問題は枝野氏が左翼であるかどうかではなく、左翼のことをよく知らない〝ノンポリ〟であることにあります。ノンポリだからJR総連の献金が意味することをよく考えることなく受けてしまうし、共産党との選挙協力の誘いにも安易に応じてしまう。

彼が左翼のことをある程度理解していれば、もう少し異なる対応をしたはずです。

だからこそ池上さんとの対談では、明治維新や自由民権運動から始まる日本左翼史を縦覧して様々な党派・活動家・思想家たちの足跡を辿るとともに、彼らがそこに至った過程についても分析していきたいと考えています。

ただこれを、明治維新から時系列で話していくことで完全な「歴史の話」にしてしまうよりは、少しでも読者にとって身近に感じられるところから始めたほうがいい。
そこで第一巻となる今回の対談では、まず戦後、つまり一九四五年八月一五日を起点に話をスタートし、戦後最初の大衆闘争である六〇年安保に至るまでをひとつの区切りとしたいと思います。

▼議論の準備② 共産党とは？ 社会党とは？

共産党と社会党の違い

池上 では、対談の大前提になる知識として、戦後の左翼運動の二大拠点である共産党と社会党について、その成り立ちや性質の違いについて簡単に整理しておきましょうか。今となっては、現在の社民党と共産党では一体何が違うのか分からないという人も多いでしょうから。

まず共産党について説明すると、正式名称は「日本共産党」。戦前の一九二二年七月一五日に、日刊紙『萬朝報《よろずちょうほう》』の元記者で、日本で初めてマルクス・エンゲルスの「共産党宣言」を翻訳したことで知られる堺 利彦《さかいとしひこ》[6]ら八人の社会主義者たちが、ロシア革命のような社会主義革命を日本でも実現するために結成しました。結党数ヵ月後には、社会主義革命を推進するための国際組織「コミンテルン」[7]に加盟し、「コミンテルン日本支部　日本共産党」となります。

私有財産制度を否定し君主制（天皇制）の廃止を掲げる共産党の主張は当時の日本政府にとって容認できないものでした。政府は共産党結党翌年の一九二三年に関東大震災後の混乱を受け緊急勅令を公布して共産党の取り締まりに当たり、一九二五年には治安維持法を制定して弾圧しました。

戦後は合法政党となり、全国に約二七万人（二〇一九年時点）の党員を抱え、衆議院に一二、参議院に一三の議席を占めるに至っていますが、現在も革命政党であることを綱領で謳っています。ただし現在の日本が必要としているのは社会主義革命ではなく、「異常な対米従属」と「大企業・財界の支配」を打破して、日本の真の独立を勝ち取り、政治・経済・社会の民主主義的な改革を実現することだと主張しています。この民主主義革命を資本主義の枠内で行うことが当面の使命というわけですが、これをどう受け取るべきなのか

6　堺利彦（一八七〇―一九三三）：明治～大正時代の社会主義者。一九二二年の日本共産党創立の際は初代委員長を務める。

7　コミンテルン：戦間期から第二次世界大戦半ばにかけ国際共産主義運動を指導した「共産主義インターナショナル」の略称。

については、後で佐藤さんから詳しく説明があるでしょう。

一方で社会党の正式名称は「日本社会党」。こちらは戦時中に息を潜めていた非・共産党系の労働運動家や無産政党、つまり戦前の合法的社会主義政党の関係者たちが戦後間もない一九四五年一一月に大同団結してできた政党でした。

ただこの政党は、それぞれの国家観や社会観にはかなりのバラツキがありました。左派は共産党とは違う方法論を志向していたものの、マルクス主義的な社会主義革命の実現をめざしている点では同じで、多くは天皇制にも否定的な考えを持っていたのに対して、右派は反共主義的な考え方を持つ人が多かったからです。

このような左右の幅が広すぎる党派だったがゆえに、ソ連に対する考え方や天皇観、さらに日本が再軍備することをめぐってたびたび意見対立が起こり、右派と左派に分裂したり、また再統一したりを繰り返しました。しかし見解が違う両者がひとつの党を形成したことで少なくとも一時期は野党としての強さが発揮されていたのも事実で、このあたりについては第二章あたりで詳しく述べていきましょう。

一九九六年に社民党（社会民主党）に党名を変更して現在も存続していますが、党員は共産党にはるかに及ばない一万四五四九人（二〇一九年二月末現在）。国会での議席も、衆参に一議席ずつもっているにとどまっています。

スクープ連発「赤旗」の正体

佐藤　両者の党勢の違いは明らかですね。そして現状から考えるならば、社民党とは対照的に共産党の存在感は今後ますます高まることになるはずです。**社民党が衰退し続けた一方でなぜ日本共産党はまだ生き残っているのか。**本書ではそこを大きなテーマのひとつとして扱いたいとも思っているのですが、年表に沿っての話を始める前に、共産党の「現在」についての話もしておきたいと思います。

現在の国会で、共産党の存在感は良くも悪くも群を抜いています。立憲民主党の議員たちが行う国会質問は新聞や週刊誌の報道をなぞって「そういう報道が出ているが事実か？」と問いただすだけのものであるのに対し、共産党は政権を刺すためのネタを摑んでくる独自の調査能力を持っている。

池上　たしかに今の国会での質疑を見ていても、野党の追及の仕方は概ねお粗末です。その中にあって共産党は、佐藤さんが指摘する調査力に加えて、しっかりと論理立てた追及ができる点で明らかに他の野党とは違います。

共産党議員たちの調査力を下支えしているのが、共産党が一九二八年から出している党の機関紙「しんぶん赤旗」（通称「赤旗」）でしょうね。同紙は日刊紙の公称部数が二〇万部。党員数より部数が少ないのは、党員でも購読していない人がいるからでしょう。それでも週に一度だけ出る日曜版は一〇〇万部と言われています。この機関紙が、近年、政権を窮地に追い込み、政局を作り出すようなスクープを連発しています。

歴代の内閣総理大臣が各界の功労者を招いていた「桜を見る会」に関して、安倍晋三《あべしんぞう》前首相が地元選挙区の支援者を大量に招待するなどして私物化していたと批判された問題は、もともと赤旗が二〇一九年一〇月一三日付の日曜版で報じた記事（「首相主催『桜を見る会』安倍後援会御一行様　ご招待　地元山口から数百人規模　税金でおもてなし」）が発端でした。赤旗はこの記事で、その年の特に優れた報道に授与される、第六三回「ＪＣＪ賞」（主催＝日本ジャーナリスト会議）の大賞を受賞しています。

また日本の科学者の代表機関である「日本学術会議」が推薦した新会員のうち、政権に批判的な発言などをしていた六名の研究者の任命を菅義偉《すがよしひで》首相が拒否したことが発覚し批判された「日本学術会議任命拒否問題」も、赤旗のスクープにより世間に広まりました。

佐藤　しかし、赤旗はあくまで日本共産党の機関紙です。機関紙である以上、党指導部の方針を宣伝することが赤旗の最優先事項であって、共産党が不祥事を起こした場合には党の意に沿うような形でしか報じられません。そのような独立性のない新聞を、あたかも一般のジャーナリズムと同じようにみなし、信頼を置いてしまう近年の風潮には大いに疑問があります。

そして、その赤旗の所有者である共産党は普通の政党ではありません。いえ、むしろきわめて特殊な政党です。これはやはり決定的に重要なポイントです。

日本共産党は「革命政党」

池上 いま佐藤さんがおっしゃった「特殊な政党」という言葉ですが、これは要するに、現在の日本の議会政治において、共産党以外の主要政党は現行憲法と資本主義体制のもとで作られたさまざまな法律の枠内で政治活動をする政党ということになっていて、政権与党になったとしても、その仕組み自体を覆そうとは考えていない。それに対して共産党は現在の体制に従いながら政治活動を行ってはいるけれども、政権を奪取した暁には今ある体制を違うものにつくり替えることを目指している。こういう、目指すものについての根本的な違いがある、ということですね?

佐藤 その通りです。あの人たち自身も言っているとおり革命政党である、ということですね。体制そのものを覆そうとしている。

もっとも日本共産党の場合は、それを実現するための方法論として二段階革命論を唱えています。つまり、日本という国は現状アメリカ帝国主義と大企業・財界などの独占資本主義に支配されており、まずはこれらを打倒することで、日本の真の独立を勝ち取り、政治・経済・社会を民主的なものにつくり替える民主主義革命を行う必要がある。これを実現しておくことでようやく社会主義革命へ至ることができるのだ、という論です。

現在の彼らは日本がまだ民主主義革命の途上、つまり一段階目であるという理由で主張を抑えていますので、革命政党であるという本質は見えづらくなっています。しかし彼らの究極的な目標が共産主義社会の実現であるということは揺るぎません。かつては社会党の左派も本気で日本に革命を起こそうとしていましたが、党の上から下まで、右から左までが一丸となって体制転覆を目指している政党は国会の中で共産党以外に存在したことはありません。

だからこそ、共産党を明確に想定した破壊活動防止法という法律が戦後まもなく制定され、一九七一年の「渋谷暴動事件」(同年一一月に東京渋谷とその周辺で中核派が暴動を扇動し、鎮圧にあたった新潟県警の機動隊員一名が殉職した事件)を最後に適用例がないにもかかわらず存続していますし、さらに言えば、政府はこの法律の規制対象に該当するかどうかの調査と処分請求を行うための機関として公安調査庁という定員一六六〇人の独自の役所まで作って共産党の動きを注意深く監視している。共産党が暴発する危険があると政府が認識しているからです。

こういう状況が戦後ずっと続いているのも、裏を返せば共産党が革命政党の旗を降ろしていないからです。

池上　そもそも党名だって変えていないわけですからね。一九九一年にソ連が崩壊して東西冷戦が終結したのち、世界各地の共産党は次々と党名を変更しました。それにもかかわらず、日本共産党は「共産党」であり続けることを選んだ。

数年前にトルコからやってきた知人とタクシーで移動していた際、たまたま東京・代々木にある共産党本部の前を通りがかったので、「これがJapanese Communist Partyの本部だよ」と教えてあげたら、ひどく驚かれたことがあります。

そのトルコの知人からすれば、「資本主義社会の日本で、なぜまだ共産党が存在しているんだ⁉」というわけですね。私も彼の反応を見て、「ああ、そうか。他の国の人から見ればこれはかなり不思議なことなんだ」と初めて気が付きました。

共産党は「左翼社民」を嫌う

佐藤　ところで、池上さんは赤旗に出たことはありますか？

池上　私はＮＨＫの職員として、『週刊こどもニュース』という子供向けのニュース解説番組に一九九四年から退職する二〇〇五年まで出演していたのですが、その頃にＮＨＫ

の広報を通じて赤旗日曜版の芸能コーナーに出てほしいと申し込まれインタビューを受けたことはあります。ただNHKを辞めてからは出たことがないですね。

佐藤 なるほど。では、池上さんの著書が赤旗で書評の対象になったことは？

池上 ありません。

佐藤 やっぱり。それはきっと、「反共分子」に分類されているからですよ。

池上 そうなのでしょうかね（笑）。

佐藤 私も、これまで出した本が赤旗で書評されたことはありません。ネガティブな文脈では出ているんですよ。わりと最近、先ほどの日本学術会議問題と赤旗の関係についての見解を『文藝春秋』（二〇二〇年一二月号掲載「権力論――日本学術会議問題の本質」）に寄稿した際は赤旗に大きく反論記事が出ましたし、ロシアとの北方領土返還交渉をめぐって私や鈴木《すずき》宗男《むねお》さんが逮捕された二〇〇二年の「鈴木宗男疑惑」の際には、私が保管していた文書を改竄《かいざん》した謀略文書が、「佐藤優主任分析官の保管していた書類」ということにされて鈴木さんを非難する記事に登場したこともありました。

比較的好意的な文脈で名前が出たのは、二〇一五年に沖縄の辺野古《へのこ》基地建設反対のために「辺野古基金」を設立してその共同代表として報じられた時くらいでしょうかね。

しかし私はともかく池上さんにアプローチしてこないというのはどうもよくわからな

い。これだけ影響力があるのに。一体なぜなんですかね？

池上　わかりません（笑）。テレビ東京の選挙特番で共産党の内部や赤旗編集局をロケしたことはあるのですが。まあ、論評に値しないという評価なのでしょう。

佐藤　「潮」（創価学会系の出版社である潮出版社が刊行している月刊誌）からは来るでしょう？

池上　「潮」は来ますね。公明新聞（公明党の機関紙）はないですが。

佐藤　「経済」（共産党系の出版社である新日本出版社の月刊誌）や「文化評論」（同。一九九三年休刊）からインタビューや寄稿の依頼が来たことは？

池上　どちらからも全くないですね。

佐藤　うん。こういう事実から判断しても共産党からは嫌われてるんですよ、池上さんは。

池上　でしょうかね（笑）。

佐藤　私を嫌っている理由と池上さんを嫌っている理由が同じとはかぎりませんが、しかし私たちがともにマルクス主義や共産主義に関する知識を備えていることは、もしかしたら重要な理由の一つかもしれませんね。

池上　そうかもしれませんね。佐藤さんはマルクス関連の著作として『私のマルクス』（文春文庫）など何冊も書いていますし、私も二〇〇九年に『高校生からわかる「資本論」』（ホーム社）を出しています。二〇一五年には『希望の資本論』（朝日新聞出版）というタイトルで佐藤さんとの対談を本にしたこともありましたね。

佐藤　ところが赤旗は、香山リカさん（精神科医）や山口二郎さん（政治学者・法政大学教授）といった、マルクス主義とのかかわりが薄い所謂リベラル系文化人には接近してくるんですよ。彼らは社会民主主義者、昔風の図式で言えば「右翼社民」、つまり右派社会党に近い立ち位置の言論人たちですよね。

池上　そうですね。昔風に言えば。

佐藤　先ほども言いましたが、昔はリベラルとコミュニストというのは全く違う概念であって、この両者はなまじ似ているところが多いぶん憎み合うことも多い関係でした。だから共産党には、右翼社民の人たちには近寄るのに左翼社民（社会党左派）的な立ち位置の人、つまりマルクス主義に関して一定の知識を備えている人を嫌うという特徴もあります。

池上　それは昔からありますね。

佐藤　これは昔言われていた「社会ファシズム論[8]」、つまり社会民主主義者をファシストと同一の存在、むしろファシストよりタチが悪い存在とみなす考え方の影響が依然としてあるからでしょう。だから彼らからすると、池上さんからは社会ファシストの匂いが感じられるのではないですか？　私の場合、共産党からすれば純正ファシストでしょうけれども。

池上　（笑）。

戦後左翼史の幕開け

池上　それでは、左翼史を語るうえで前提となる基礎知識を共有したところで、いよいよ本論に入っていきましょう。

第一章では、敗戦後にＧＨＱの統治下に置かれた日本の状況を振り返りながら、戦時中に治安維持法により逮捕されていたものの釈放された徳田球一《とくだきゅういち》や宮本顕治《みやもとけんじ》、そして中国から帰国した野坂参三《のさかさんぞう》など、戦後左翼史を語るうえで欠かせない人物たちを取り上げます。

続く第二章では、占領統治下の日本でなぜ左派が躍進したのか、当時の国際情勢と絡めながら考えることで、社会党や共産党が支持された経緯を明らかにしていきます。

8　社会ファシズム論：コミンテルンは社会民主主義を「資本主義の手先」であるとみなし、「社会ファシズム」と規定し批判し続けた。一九三五年に「反ファシスト統一戦線」のもとで解消された。

佐藤　社会党が非常に能力の高い知識人たちに牽引され、多くの国民に支持されていた時代があることは、今では考えられないでしょう。また、共産党が再軍備を主張していた時期があることも意外に思う人が多いかもしれません。

忘却されつつある当時の歴史を振り返ることで、社会党や共産党がどのような性質の党として成立し、支持され、そして弱体化していったのかを理解することが大切です。

池上　そうですね。また、**当時の国際情勢と絡めて日本の政治状況を理解する「俯瞰の視点」がとても重要です**。第三章では、絶大な権力を誇っていたソ連のスターリンが死去するや、世界中の左派に影響を与えた「事件」についても触れます。

また、第三章で取り上げる一九五〇年代は、社会党が躍進し共産党の勢いが失墜する分水嶺でもあります。両者の成功と失敗はどこにあるのか、考えたいと思います。

佐藤　左派は歴史的に離合集散を繰り返す性格を持っています。第四章で、六〇年安保の背景を取り上げながら、なぜ「新左翼」が台頭するに至ったのかを話していきましょう。

池上　ではさっそく、戦後、GHQにより日本が占領されていた時代の話から見ていきましょう。日本が戦争に負けて社会を一から立て直すことが求められていた一九四五年からの数年間、左派が民衆から圧倒的な支持を集めていた背景について考えてみます。

第一章
戦後左派の巨人たち
(一九四五〜一九四六年)

……焼け野原となった日本で、左派知識人たちの演説に人々は喝采した。

《第一章に関する年表》

一九四五年	八月一四日	御前会議、ポツダム宣言受諾を決定。
	八月一五日	昭和天皇、「終戦」の詔勅放送。鈴木貫太郎内閣総辞職。
	八月一七日	東久邇宮稔彦内閣成立。
	九月二日	降伏文書調印。GHQ司令第一号。
	九月二七日	昭和天皇、マッカーサーを訪問。
	一〇月九日	幣原喜重郎内閣成立。
	一〇月一〇日	政治犯三〇〇〇人釈放。徳田球一・志賀義雄出獄後に「人民に訴う」の声明。自由戦士出獄歓迎人民大会開催。
	一〇月一一日	マッカーサー、幣原首相に人権確保のための五大改革を指令。
	一〇月一五日	治安維持法廃止。
	一〇月二〇日	「赤旗」再刊。
	一〇月二四日	国際連合発足。
	一一月二日	日本社会党結成（書記長：片山哲）。

一九四六年	一一月九日	日本自由党結成（総裁：鳩山一郎）。
	一二月九日	GHQ、農地改革の開始。
	一月一日	昭和天皇の人間宣言。
	一月一〇日	山川均、人民戦線の結成を提唱。
	一月一二日	野坂参三、中国から帰国。
	一月一六日	社会党中枢、共産党との共同戦線は時期尚早と決定。
	二月三日	マッカーサー、天皇制存続・戦争放棄・封建制撤廃の三原則に基づく憲法草案の作成をGHQに指示。
	二月二四日	共産党第五回大会、平和革命路線を採択。

ＧＨＱによる「非軍事化」と「民主化」

池上　敗戦後、つまり米英中の三ヵ国が日本の無条件降伏を求めたポツダム宣言を日本が一九四五年八月一四日に受諾し、翌一五日に昭和天皇が「終戦の詔書」を読み上げたラジオ放送が全国民に向けて放送されて以降の流れを見ていくことにしましょう。

日本が降伏すると、連合国はアメリカ陸軍のマッカーサー元帥を連合国軍最高司令官に任命して対日占領に当たらせ、マッカーサーは八月三〇日に厚木飛行場に降り立ちます。そして九月二日、重光葵《しげみつまもる》外務大臣と梅津美治郎《うめづよしじろう》参謀総長が東京湾上、米戦艦ミズーリ号の甲板の上で降伏文書に調印したことで第二次世界大戦が正式に終結するとともに本格的な占領体制がスタートしました。

占領軍にはイギリス連邦軍も僅かに参加していたものの大部分はアメリカ軍であり、事実上アメリカによる単独占領でした。

アメリカによる初期の占領政策の特徴は、日本の「非軍事化」と「民主化」を徹底して行ったことにあります。この方針は、日本が受諾したポツダム宣言の中にすでに書かれていたものでした。

ポツダム宣言で米英中三ヵ国は、「日本国民を欺いて世界征服に乗り出す過ちを犯させた勢力を永久に除去」し、「一切の戦争犯罪人は処罰」するとともに、日本政府による

「日本国国民における民主主義的傾向の復活を強化」「言論、宗教及び思想の自由並びに基本的人権の尊重を確立」などの内容も明記していました。また、日本から戦争遂行の能力が失われたことが確認されるまでは占領を続けることになっていました。

そしてマッカーサーは九月一一日、真珠湾攻撃時の総理大臣であった東條英機《とうじょうひでき》などA級戦犯容疑者三九人の逮捕を命令。一〇月に入ってからは治安維持法をはじめとした思想・言論規制法規の廃止や、同法を根拠に政治犯の取り締まりを担った特別高等警察（特高）の廃止、政治犯の釈放などを日本政府に命じました。

徳田球一

これを受けて同一〇日、転向を拒否して東京予防拘禁所（現在の府中刑務所）に隔離拘禁されていた一六人の政治犯が釈放されました。この一六人の中に、一九二二年の日本共産党結党に参加したものの二八年三月一五日に治安維持法で逮捕（三・一五事件[9]）され一八年間獄中で過ごしていた徳田球一[10]、そして東京帝国大学の学生だった二三

9　三・一五事件：一九二八年、治安維持法違反容疑により、共産党員とその同調者が全国的に大検挙された事件。

志賀義雄

年に共産党に入党したものの、やはり三・一五事件で逮捕されていた志賀義雄《しがよしお》[11]など、日本共産党の主だった活動家たちもいました。戦前は非合法政党だった共産党は、戦後は徳田を新書記長に選出し、合法政党として再出発することになります。相次ぐ幹部の逮捕によって党が壊滅状態に陥り、一九三五年二月を最後に刊行できずにいた機関紙「赤旗」も、この年の一〇月に再刊されます。

佐藤　一六人の中には朝鮮共産党・日本総局の責任秘書として、在日朝鮮人の共産党員たちの指導者であった金天海《きんてんかい》[12]もいましたね。彼はきわめて興味深い人物で、話したいことが色々とあります。第二章で改めて触れます。

アメリカを「解放軍」とみなした共産党

池上　一〇月一一日には、マッカーサーが当時の幣原喜重郎《しではらきじゅうろう》首相と面談し、「秘密警察とそれに関連する制度の廃止」に加えて「労働組合の結成奨励」「選挙権付与による女性の解放」「学校教育の自由化」「経済の民主化」という五大改革を口頭で指示しています。

こうした中で来たるべき民主政治に備えようと新しい政党の結党の動きも起こり、一一月二日に日本社会党が結成されたのに続き、現在の自由民主党のルーツでもある日本自由党や日本進歩党も結成されました。一二月一日には日本共産党の第四回大会が行われ、同一七日には改正衆議院議員選挙法が公布されました。

佐藤　天皇が自らの神格を否定する年頭詔書（人間宣言）を発表するのは翌四六年一月、日本国憲法が公布されるのは同年一一月（四七年五月三日に施行）のことですね。

池上　一九四五年八月以降の日本左翼史を語るうえで最大のポイントは、アメリカという国の位置付けでしょうね。**日本の左翼たちがＧＨＱ＝アメリカをどのような存在であると捉え、またＧＨＱの側が日本の左翼のことをどう見ていたのか。**そのあたりの視点が重要になってきます。

たとえば、先ほど言ったように一九四五年一〇月一〇日に徳田や志賀、金天海などの戦前からの共産党幹部が一斉に釈放されているわけですが、徳田と志賀は自分たちがまもなく釈放されると知らされた一〇月四日の夜に、「人民に訴う」と題した出獄声明文を書き

10　徳田球一（一八九四―一九五三）：社会運動家、政治家。一九四五年に再建された日本共産党で書記長を務める。
11　志賀義雄（一九〇一―一九八九）：政治家。一九四五年、日本共産党の再建に尽くし中央委員・政治局員になる。
12　金天海（一八九八―？）：朝鮮近代の社会運動家。日本共産党中央委員・政治局員として在日本朝鮮人連盟を主導。

上げたとされています。ただこれがのちのち、この時の徳田らが思いもしなかった波紋を広げることになりました。この声明文の中で、

〈ファシズム及び軍国主義からの世界解放のための連合国軍隊の日本進駐によって、日本における民主主義革命の端緒がひらかれたことに対し、われわれは深甚なる感謝の意を表する。〉

〈米英及び連合諸国の平和政策に対してはわれわれは積極的にこれを支持する。〉

などと書いてしまったからです。つまり、**占領軍であるアメリカ軍を「解放軍」と規定してしまった。**

佐藤　この時に釈放された共産党幹部たちは、釈放されたその足ですぐに占領軍司令部が置かれていた東京・有楽町の第一生命ビルに向かい、徳田の発声で「解放軍バンザイ」を三唱したという逸話も残っています。万歳三唱するだけならまだしも、声明文で明確に「解放軍」と規定してしまったせいで、共産党は米軍を自分たちの指導者として仰ぐことになり、その指示に従わざるを得ない立場に自分たちを追い込んでしまった。これが後々大問題になります。

池上　この、アメリカへの追随ともいえる「解放軍規定」に対しては、当時でさえ「東京大空襲や広島・長崎への原爆投下で罪なき人民を虐殺したアメリカ軍を解放軍とはなにご

とだ」という批判が党の内外から上がりました。
　ただ当時の徳田らからすれば、自分たちが刑務所から出ることができたのは占領軍のおかげ、というのは偽らざる実感だったのでしょうし、また日本が負けた相手にしても、少なくとも形式的にはアメリカという単独の国ではなく連合国軍であって、ここにはソ連も参加していました。そのせいで徳田たちは進駐軍のもとで革命が成就してしまうのではないかという幻想さえ持ってしまった。

佐藤　そうでしょうね。志賀義雄に関する資料を一冊に網羅した『ドキュメント 志賀義雄』（ドキュメント志賀義雄編集委員会・編　五月書房）には、志賀自身が獄中〜出獄後の活動を回顧した「狂瀾怒濤の時代を生きて」という晩年に書かれた手記が収録されており、彼はここで次のように書いています。

〈「人民に訴う」については徳田が執筆したもので、政治犯釈放の決まった翌日、私にその原稿を示した。その中には、のちに問題となった「連合軍は解放軍だ」という一句があった。
「これは削除した方がいい」と私がいうと、「いや、連合軍にはソビエト軍もふくまれている。アメリカ軍だけが勝手な真似をしないためにも、こう書いておいた方がよい。それに連合軍は今後の日本の民主化を推進するからだ」と徳田は答えた。〉（142頁）

池上　声明の問題点が明らかになってから、徳田ひとりに責任転嫁しているようにも読めますね。しかし、いずれにしても共産党は翌一九四六年二月に開催した第五回党大会で、連合国軍を「解放の軍隊」とする行動綱領を正式に採択してしまいました。この大会では、以下のような大会宣言も出しています。

〈日本共産党は、現在進行しつつある、わが国のブルジョア民主主義革命を、平和的にかつ民主主義的方法によって完成することを当面の基本目標とする。（中略）

ブルジョア民主主義革命が完成されたのちは、わが党は我国社会の発展状況に応じ、人民大多数の賛成と支持とを得、かつ人民自身の努力によって平和的、かつ民主主義的方法により、資本主義制度よりも更に高度なる社会制度、即ち人が人を搾取することなき社会主義制度へ発展せしむることを期する。〉

ここから読み取れるのは、**日本では解放軍の指導のもと、社会主義革命を行うための前段階となる民主主義革命は平和的に進行しつつあり、自分たち共産党はその革命を尖兵となって支えているのだ、という現状認識**です。今から見れば、なぜここまで甘い考えを持ってしまったのか、という気がして仕方ありませんが。

佐藤　「占領下の平和革命」と呼ばれる考え方ですね。

『菊と刀』は共産党史観

佐藤　ただ私は、徳田や志賀が敗戦直後にこうした幻想を抱いても仕方がない要因が、いくつかあったんじゃないかとも思っているんです。それはたとえば、文化人類学者のルース・ベネディクトが書いた『菊と刀』にも現れています。

池上　日本と日本人の文化特性について分析した非常に有名な本ですね。『菊と刀』が刊行されたのは一九四六年ですが、あの本はもともと、戦時中にアメリカ戦時情報局に招集され、日本軍の作戦行動のベースをなす日本の文化や、日本人に特有の気質について解明する任務を与えられたベネディクトがまとめた「Japanese Behavior Patterns（『日本人の行動パターン』）」というレポートが元になっています。米軍はこのレポートを対日本軍の作戦や日本兵捕虜を扱う際の参考にしただけでなく、戦後は占領政策を円滑に、日本の大衆心理を摑みながら行ううえでの参考にしたと言われていますね。

佐藤　そのとおりです。ご存じのように、ベネディクトはあの本のもとになるレポートを書くために多くの日系アメリカ人たちにヒアリングしたと言われています。ただその頃の日系アメリカ人たちはまだ日本で生まれ育った一世世代が多数派でしたので、母国への情もあって母国と敵対する米国政府の要請には容易に応じませんでした。その中で例外的に積極的に協力したのが、日系アメリカ人でもアメリカ共産党に所属する党員たちだったと私は見ています。

池上　なるほど。いまではアメリカに共産党があったことなど想像できない人も多いでしょうが、戦前はたしかにアメリカでも共産党が活発に活動していて、一九二四年、二八年には党書記長のウィリアム・Z・フォスターが大統領選挙に出馬するなどそれなりの存在感がありましたからね。そしてその頃のアメリカ共産党には黒人、アジア系など多くのマイノリティが参加しており、日系人の党員も少なくなかった。

佐藤　さらにアメリカ共産党は第二次世界大戦への参戦はファシズムとの戦いであると位置づけていたので、戦時大統領となったルーズベルトに積極的に協力したという歴史的事実もあります。そして、そうした日系アメリカ人の共産党員たちが大挙してベネディクトのヒアリングに協力した結果、ベネディクトのレポートは当時の日本共産党、より正確に言えば講座《こうざ》派の日本観を色濃く反映したものになりました。

つまり「原始社会→奴隷制→封建主義→資本主義→社会主義」というマルクス主義が想定する社会の発展段階で言えば、まだ三番目の「封建主義」の段階にとどまっている、資本主義にさえ至っていない国である、という史観が強く反映されたのです。

左派の二大潮流＝「講座派」と「労農派」

池上　重要な用語が出てきたのでいったんここで整理しましょう。「講座派」というのは戦前の日本のマルクス主義者の中でも、マルクス経済学者の野呂《のろ》栄太郎《えいたろう》や山田《やまだ》盛太郎《もりたろう》など、岩波書店の『日本資本主義発達史講座』（一九三二年五月〜三三年八月、全七巻）の執筆者を中心とするグループですね。

講座派に対置される存在として、政治雑誌『労農《ろうのう》』に執筆していたことから「労農派」と呼ばれたマルクス経済学者や社会主義者たちのグループもおり、こちらの中心人物が、のちに日本社会党の中心人物となる向坂逸郎《さきさかいつろう》[13]や山川均《やまかわひとし》[14]、堺利彦などでした。講座派と労農派は、昭和初期にあたる一九三〇年代前半、当時の日本の資本主義がどのような現状にあるかをめぐって論争を繰り広げました。

向坂逸郎

13　向坂逸郎（一八九七―一九八五）：マルクス経済学者。戦後は山川均とともに社会主義協会を創立して、マルクス主義の立場から労働運動および日本社会党の左派グループに大きな影響を与えた。

14　山川均（一八八〇―一九五八）：社会主義者。戦後、四六年に人民戦線を提唱し、統一戦線を志向したが不成功に終わり、以後は社会党左派の立場から活動を続け、五一年には社会主義協会を結成した。

これが、いわゆる「日本資本主義論争」です。**この論争以来、日本のマルクス主義者は講座派の系譜と労農派の系譜に大別されることになり、講座派は日本共産党、労農派は戦後結成される日本社会党の理論的支柱になりました。**そういう意味では本書のテーマである「日本左翼の近現代史」は、まず日本資本主義論争を理解しておかないことには理解不可能かもしれません。

佐藤　それでは簡単に「日本資本主義論争」の概要を述べておきましょう。

講座派は当時の日本の支配体制を、「全体主義的な天皇制」「地主的土地所有」「独占資本主義」という三者が分かちがたく結びついた体制とみなし、まずは天皇制を打倒する人民革命を起こして普通の資本主義国、つまりは三井や三菱のような財閥・巨大企業が支配する時代を作る必要があると主張しました。ヨーロッパで起こったブルジョア革命がまだ

山川均

堺利彦

起こっていない「特殊な国」であると考えたのです。とりあえず資本家がわが世の春を謳歌する世界を作っておいて、その世界がある程度発展したところで満を持して社会主義革命を起こすという「二段階革命論」を提唱したのです。

それに対して労農派は、明治維新が不完全ではあったものの欧州のブルジョア革命に相当するものであり、日本はすでに資本主義国になっていると考えました。「日本国は講座派の言うような特殊な国ではないし、革命を二段階で行う必要などない。すでに三井、三菱などといった財閥が強大な権力をもっているのだから、この財閥を打倒すれば社会主義革命は成就するのだ」と主張したわけです。

そして池上さんの言うように、講座派の理論は日本共産党の基礎理論でもありました。「赤旗」の一九三二年七月一〇日特別号に発表され、その後数年間、日本共産党の綱領的な文書として機能した「日本における情勢と日本共産党の任務に関するテーゼ」（通称「三二年テーゼ」）を正当化する方向で講座派の理論は発展していきました。このテーゼでは日本共産党の当面の目標を、将来の社会主義革命に備えたブルジョア民主主義革命の遂行であると規定していたほか、日本共産党の主要任務に天皇制の打倒や「寄生地主制の廃止」、「七時間労働制の実現」などを挙げていました。

池上　話をＧＨＱの占領政策に戻すと、この講座派の日本観や三二年テーゼの内容をアメリカ共産党の日系人党員たちも共有しており、彼らへのヒアリングに基づいて占領政策を策定したがゆえに、占領軍の初期政策は「講座派的」になったということでしょうか。

佐藤　そう思います。典型的なのは一九三万ヘクタールもの農地を二三七万人の地主から買い上げ、四七五万人の小作人にタダ同然で譲渡することで日本の農家の大半を自作農に転換した農地改革です。

これなどは戦前の日本の土地私有制度が非常に封建的であり、少数の特権的な地主が圧倒的多数の小作人を農奴として搾取しているという講座派的な問題意識があればこそ断行された改革です。

戦前の小作料の位置付けに関して、講座派と労農派はかなり異なる見解を持っていました。講座派は、農民たちは地主たちが要求する高額の小作料によって土地に縛りつけられており、これが江戸時代と何ら変わらない、封建的な地主―小作関係の結果であると主張しました。

これに対して労農派は、明治以降の地主と小作人の関係には依然として前近代的な側面があるものの、一八七三年（明治六年）の地租改正などを経て近代的な土地所有権を前提とする契約関係に移行していると考えました。小作人が高額の小作料に甘んじているのは高くても借りたい小作人が常に他にいる小作人同士の競争があるがゆえであり、高額な小作料は近代的な資本主義の産物、弊害であると考えたのです。
また、戦前に軍部や政府と強固に結びつくことで莫大な利益を上げていた三井、三菱、住友、安田の四大財閥の持株会社を解散させ、企業間の健全な競争を促した財閥解体にしても、「成熟した資本主義にまだ到達していない日本にはまずブルジョア革命が必要」という講座派的な歴史観がベースにあります。
そうであるからこそ、GHQの占領政策は徳田球一や志賀義雄らにとってもかなり講座派＝共産党的に見えたはずなのです。「おや、これはなかなかいいぞ。俺たちの理論どおりに動いてくれているじゃないか。これはひょっとしたら解放軍だぞ」と見えたとしても、それほどおかしくないような気がするのですよ。

池上　なるほど。では、GHQの農地解放や財閥解体はある意味では偶然の産物という言い方もできるかもしれませんね。
仮にベネディクトのヒアリングに協力した日系人が労農派の社会主義者であったなら、GHQの占領政策はかなり違ったものになっており、農地改革などは行われなかったかもしれないということでしょうか？

佐藤　そうであった可能性はあると思います。

野坂参三

野坂参三「愛される共産党」の意図

池上　ところで先ほど、アメリカ軍を解放軍と規定してしまった共産党が「占領下における平和革命」を志向していたことについて述べましたが、この平和革命を遂行するうえでのスローガンになったのが、敗戦翌年、一九四六年一月に中国から戻ってきた野坂参三[15]が掲げた「愛される共産党」でしたね。

佐藤　徳田や野坂、あとはのちに彼らの後継者となる宮本顕治[16]など、戦後の共産党の中心的な指導者たちについては話題に出るたびに逐一紹介していくことにしましょう。

野坂は慶應義塾大学在学中の一九一二（明治四五）年に労働運動に関わるようになり、英国留学中の一九一九（大正八）年に英国の共産党である「グレートブリテン共産党」に入党。帰国後は日本共産党の結党にも参加しますが、徳田や志賀同様に二三年の三・一五事件で逮捕されます。

ただ敗戦まで獄中生活を余儀なくされた徳田などと違って、野坂の場合は「目の病気」を理由に釈放されており、三一年には妻の野坂龍《のさかりょう》を伴ってソ連に亡命します。

ソ連では、スターリンが東アジア諸国の共産主義運動指導者を養成するために設立した政治学校「東方勤労者共産大学（クートヴェ）」で訓練を受けたと言われており、その後はアメリカにも入国し、アメリカ共産党の協力を得ながら日本国内の革命運動を海外から指導する役割を担っています。一九四〇（昭和一五）年には中国大陸に渡って中国共産党と合流し、中国共産党の軍隊である八路軍と交戦中の日本軍に反戦ビラを撒いたり、八路軍の捕虜になった日本人兵士に思想教育を施すなどして活動しました。

日本共産党が一九二二年から八二年までの歴史をまとめた「六十年党史」（一九八二年刊行『日本共産党の六十年』）における野坂は、次の記述に象徴されるような世界を股にかけた国際共産主義運動の英雄であり、党の歴史を切り開いた偉大な反戦活動家です。

〈野坂参三は、太平洋戦争のせまった一九四〇年はじめに、党の再建と、戦争と軍部に反対する統一戦線の樹立をめざして、ソ連から中国をへて日本に帰国することを計画した。しかし、その成功が期しがたい状況のもとで、中国共産党と協議のうえ、すでに日本軍の

15　野坂参三（一八九二―一九九三）：政治家、共産主義者。一九五五年日本共産党第一書記となり、一九五八〜一九八二年中央委員会議長、辞任後は名誉議長となる。
16　宮本顕治（一九〇八―二〇〇七）：政治家、共産主義者。一九五五年の六全協による党中央の統一後、書記局員を経て、一九五八年第七回大会で書記長。一九七〇年の第一一回大会で委員長に就任した。

空襲によって市街地を破壊されていた中国共産党の根拠地延安にふみとどまり、山腹の洞窟に寝起きするなど、困難な生活にたえつつ、中国共産党と協力して、日本帝国主義の中国にたいする侵略戦争に反対する活動を開始した。延安到着いらい中国人をよそおって林哲と名のった野坂は、中国国民政府下の桂林や重慶で鹿地亘（註＝共産党員の作家）によって創立された「在華日本人反戦同盟」に呼応して、組織的なつながりはないが、将来の全中国規模への発展を期しつつ、中国共産党の軍隊「八路軍」の捕虜となって延安にいた森健（本名・吉積清）らをして「在華日本人反戦同盟延安支部」を同年五月一日のメーデーを期して設立させた。野坂は一九四一年五月、延安に「日本労農学校」を創立し、天皇崇拝と軍国主義思想を教えこまれた日本軍将兵の捕虜を各地からあつめて平和・民主教育をほどこした。〉（87頁）

〈侵略戦争反対、主権在民の基本路線にかんするかぎり、党は正しい旗をまもって不屈であった。党はすべての政党が戦争に協力・加担した戦時下には、少数者であったが、これは光栄ある孤立であり、歴史の大道と人民の根本利益にたつ未来の多数者への道であった。

国外では、野坂参三、山本懸蔵《やまもとけんぞう》（註＝後述）らも、困難をおかして日本国内の共産主義運

動を援助する活動をつづけた。〉（87頁）

池上　たいそうな持ち上げぶりですね。この党の英雄が約半世紀を経て「スパイ」「裏切り者」扱いされてしまうのだから皮肉です。野坂は戦時中、一緒にソ連に渡った山本懸蔵[17]ら数名の同志について、ソ連の秘密警察内務人民委員部（NKVD）に「敵の内通者だ」と讒言《ざんげん》・密告し、スターリンに処刑させていた。その、長年隠していた暗い過去が一九九二年に発覚し、野坂はこのとき一〇〇歳を超えていたにもかかわらず日本共産党の「名誉議長」職を解任され、党除名処分も受けた。

佐藤　そう。ですから先ほどの「六十年党史」が出た二〇年後の二〇〇三年に刊行された、日本共産党の「八十年党史」（『日本共産党の八十年』）では野坂の位置づけが全然違っています。

「六十年党史」で英雄的に叙述されていたアメリカでの地下活動や中国大陸で行った日本軍に対する情宣活動については最低限の記述だけ残してほぼ全面的にカットされているのです。そのため「八十年党史」は、「六十年党史」に比べて戦前・戦中の記述が圧倒的に

17　山本懸蔵（一八九五―一九四二）：敗戦前の日本共産党の指導者。一九三七年、スターリンによる粛清で逮捕。

薄くなってしまっています。

それ以降の、戦後の共産党の活動に関して野坂が「八十年党史」に出てくるのは、のちに共産党が選択することになる武装闘争など現在の共産党にとっては触れられたくない部分の当事者としての登場にほぼ限られています。詳しくは第二章で述べますが、徳田と野坂の二人が共産党のあらゆる負の歴史の責任を押し付けられた格好になっています。

野坂「スパイ疑惑」の検証

池上　なるほど。ところで野坂が山本懸蔵を売った動機は何だったのでしょうか？

佐藤　私は、歴史学者の和田春樹先生が一九九六年に『歴史としての野坂参三』という本で書いていることが一番真相に近いんじゃないかと思っています。つまり野坂は積極的なスパイだったわけではなく、一九三〇年代のモスクワにいたら誰でもやっていたこと――つまり自分が粛清の対象にならずに済むために仲間を売る――をやってしまったに過ぎないのだ、という見方ですね。

「八十年党史」でもその部分に関しては、〈コミンテルンの変質の時期に、アメリカで活動し、その後モスクワにもどった野坂参三は、山本懸蔵にかかわる虚偽の「疑惑」をコミンテルンの書記長ディミトロフに密告し、山本や山本懸蔵夫人の関マツらを敵につうじた人物として積極的に告発する側にたちました。これは、自らの保身をはかるためにスターリンの不当な弾圧に加担する立場に身をおとしたものにほかなりませんでした。〉（58頁）と書かれています。

ただ野坂に関して評価が難しいのは、彼は三・一五事件で特高警察に逮捕されたにもかかわらず、目の病気を理由にあっさりと釈放されている事実があることです。徳田球一が一八年も投獄されたのと比べると特高の扱いがいくらなんでも優しすぎる。戦前の、転向もしていない思想犯に対してそんなに寛容であったのは違和感が拭えません。

池上　では何か当局とあったかもしれない。本当に権力側のスパイだったかもしれないと？

佐藤　転向を拒否して釈放された共産党員は彼くらいしかいませんし、疑いの目で見るといろんな疑惑が出てくる人ではあるんですよね。たとえば、野坂は一九三〇年代にアメリカに渡り地下活動を行っていますが、その時期に野坂の右腕として働いたアメリカ共産党員のジョー・小出《こいで》[18]は、アメリカで赤狩りの嵐が吹き荒れた戦後一九四〇年代末から五〇年

18　ジョー・小出：在米の共産主義者。本名は鵜飼宣道。日本メソジスト教会の牧師でもあった憲法学者・鵜飼信成の実兄。

代はじめに転向し、仲間をFBIに売っています。

そうするとアメリカ滞在中に、ジョー・小出を通じて当局と何かあったかも……という想像もできてしまう。そもそも先ほど言ったように、戦前はアメリカ政府も、各国の共産党も日本政府を共通の敵としていたわけですから日本共産党とアメリカの利害は一致しますし、その頃のソ連はアメリカと同盟国です。だからこの野坂の過去にどんなことがあったのかは判断が難しいんですよ。

第二次大戦中にアメリカ軍情報部日本語学校の教官を務め、戦後はGHQで働いていた日系アメリカ人のジェームス・小田《おだ》は、『スパイ野坂参三追跡　日系アメリカ人の戦後史』（彩流社）などの本で、ジョー・小出は戦時中からFBIのスパイであったはずだし、野坂もまた、日本政府によってスパイとして養成され、国際共産主義運動に意図的に潜り込まされた人物だという説を唱えています。

池上　野坂参三は、私が高校から大学の頃、つまり一九七〇年代は共産党の参議院議員を務めていましたね。戦前からずっと非転向で戦い続けた闘士という経歴は知ってはいましたが、その頃の私のイメージとしては、なんといいますか「優しいおじいちゃん」でしたよ。私たちの世代にとって共産党のリーダーといえば、一九五八年に書記長に就任して以来、委員長、議長を歴任して四〇年も指導者の座に座り続けた宮本顕治がまずは第一ですが、宮本にあったある種の〝暗さ〟が、野坂からは感じられませんでした。

佐藤 野坂って、共産党の天皇みたいな扱いでしたよね、象徴天皇。

池上 そういう感じでした。何となく優しそうだし、「別に共産党って怖くないんじゃないか」と思わせるイメージを醸し出していましたよね。ここで話を再び戦後直後に戻すと、彼が占領下の平和革命を行うにあたって打ち出した「愛される共産党」というキャッチフレーズにしても、少なくとも野坂個人に関しては違和感がありませんでした。

佐藤 野坂の打ち出したスローガン「愛される共産党」は、同時期に話題になった、ある本と軌を一にしています。戦前にいわゆるゾルゲ事件[19]、つまりドイツ人のリヒャルト・ゾルゲを首謀者とするソ連の諜報組織に加わっていた容疑で死刑になった朝日新聞記者の尾《お》崎秀実《ざきほつみ》[20]が、獄中から奥さんや子供に宛てて送った書簡集『愛情はふる星のごとく』が戦後すぐに出版されてベストセラーになったのです。

池上 このような、革命に殉じた共産主義者が家族に宛てて自己の思想を吐露した本がべ

---

19 ゾルゲ事件：一九四一年、第二次世界大戦下の日本における諜報活動に関与した機関関係者が大量検挙された事件。中心人物はリヒャルト・ゾルゲ。

20 尾崎秀実（一九〇一―一九四四）：共産主義者。東京帝国大学法学部卒業後、朝日新聞社に入社。一九三四年にゾルゲと再会したのを契機に日本におけるゾルゲの情報活動を支援。一九四一年、ゾルゲ事件により逮捕。

ストセラーになること自体、今となっては想像しにくいことかもしれませんが、当時の世界は東ヨーロッパを中心に続々と社会主義政権が誕生するなどソ連がものすごい勢いを持っていて、中国でも共産党が飛躍的に勢力を拡大していました。そういう時代の流れをリアルタイムで目にして、「世界は革命に向かって大きく動き出した」と思った人は決して少なくなかったでしょう。

ソ連が「人民民主主義」を掲げた巧妙な意図

佐藤　そのとおりでしょうね。しかも**この時のソ連が巧みだったのは、社会主義政権であるにもかかわらず社会主義という看板をあえて掲げなかったことです。**ナチズムやファシズムに抵抗した人は、資本主義者であろうと社会主義者であろうと関係なく広範な人民戦線に加わる資格を持っており、各国は今こそ連帯してPeople's Democracy（人民民主主義）を打ち立てるのだ、というメッセージを前面に出して西側社会にも影響力を及ぼそうとした。野坂の「愛される共産党」もその影響を受けたものではあったでしょう。

さらにこの時期のヨーロッパでは、戦前にマルクス主義者同士が対立したせいでファシズムの台頭を招いたという反省もあって、民主的なキリスト教徒や自由主義者までをも統合した社会主義者による統一戦線をつくろうという動きが各国に広がりました。

池上　人民民主主義というのは、人民が民主主義的な手段で権力を握ろうとし、一党独裁を否定します。その代わりに、マルクス・レーニン主義を掲げるひとつの指導政党の下に、いくつかの政党があくまで指導を受ける立場で議会に一定の議席を与えられる多党制的な体制のことですね。ハンガリーや東ドイツなどの東欧諸国では、ソ連型のプロレタリア独裁に代わる制度としてこの時期導入されました。

佐藤　ええ。ただこの「人民民主主義」、実はこれはロシア人の国境観とも大いに関係しています。

ロシア人は国境を「線」ではなく「面」で捉えており、地図上に引かれた線が自分たちと他国を物理的に隔てているとは全く思っていません。そういう観点からしてみれば他国との間に線的な国境が引かれていようと安心できないので、国境の外側で「何か」が起きた際に軍事展開ができる緩衝地帯（バッファー）を欲しがるのですね。

これを実現するうえで、「人民民主主義」の考え方は非常に都合がいいのです。

つまり、バルト三国のように軍事的に侵攻してソ連に併合することもできるのだけど、それを実際に行ってしまうと西側の資本主義国と共産主義圏が直接国境を接することになってしまうのでロシア側にとってもストレスが大きすぎる。ストレスを避けるには緩衝地帯が必要なのです。

ロシアにとっての「緩衝地帯」としての人民民主主義が一番わかりやすい形で導入されていたのは旧東ドイツです。意外と知られていないのですが、東ドイツには一九四九年の建国から国が消滅した九〇年まで、共産党という政党が存在したことがありませんでした。

その代わりに、四六年一〇月にドイツのソ連占領地区でドイツ共産党（KPD）とドイツ社会民主党（SPD）が建て前上対等の立場で合併して成立した「社会主義統一党」（SED）という政党があり、憲法上、この党が国家を指導すると規定されていました。SEDの中でも、実際は旧共産党系のグループがソ連の後押しを受けながら主導権を握っていたので、事実上は共産党の一党独裁に限りなく近い体制が敷かれていました。

ただ東ドイツの人民議会には、SEDとは別に、ドイツキリスト教民主同盟（CDU）のような宗教政党や、私有財産国有化に反対するドイツ自由民主党（LDPD）、さらに元ナチス党員やナチス時代のドイツ国防軍出身の元軍人たちが結成したドイツ国家民主党（NDPD）などファッショ的な土壌を持つ政党も存在し、全五〇〇議席中それぞれ五二議席（固定）が割り振られていました。

SEDは憲法でヘゲモニー（指導権）が確立しているうえに議席配分は一二七議席と決まっていたので、これらの政党は決して第一党にはなれない「衛星政党」でしかなかったのですが、表面上は多数政党の国に見える「一強多弱」状態を作り上げていたのです。だから西側諸国と同じように議会政治の仕組みはあって選挙も行われるのだけど政権交代は絶対に起きない。そういう上手な仕組みを作ったわけです。

池上　東ドイツの選挙は、SEDの中央委員会政治局が決めた「SED一二七議席、CDU五二議席」などの議席配分について「賛成か反対か」だけを問う形式だったようですね。しかも賛成の場合はそのまま投票用紙に何も書かず投票箱に入れるだけだったのに対し、反対の場合は記載台で印を書かなければいけなかったので、誰が反対し票を入れたのかすぐにわかるようになっていた。秘密警察（国家保安省・通称シュタージ）が絶大な権限をもっており、最盛期には国民の約一割が秘密警察の協力者となっていたと言われる東ドイツで反対票を入れる勇気のある人はそうはいなかったでしょうね。

佐藤　教会にしても、ソ連の場合は教会が国から分離されていて国立大学にも神学部はなかったのですが、東ドイツの国立大学には神学部があって、教授たちもちゃんと国家公務員として雇用されていました。税金で養っているほうが統制しやすいからです。

あるいは、企業が経営する大規模なスーパーマーケットや飲食店チェーンは存在しなくても個人商店、つまり個人経営のカフェとかレストランは認められていました。

このように、冷戦下のソ連と西欧諸国の間には、資本主義と共産主義の中間に位置するような人民民主主義体制の国がいくつもありました。これらはどれも、ソ連が資本主義国と直接対峙するストレスを避けるためのバッファーとして意図的に指導して作らせた体制です。

ところがこのような国のあり方が日本でも紹介されるようになると、こうした体制が、資本主義の弱肉強食的な競争を排除しつつ、社会主義よりも民衆が自由を享受できる理想的な国のモデルと感じ、憧れる層も出てきました。スターリン主義が先鋭化していく以前の東ヨーロッパ諸国に対して、海外からあまり実情も知らずに自分の理想を投影していた人たちも少なくなかったのです。

非転向を貫いた労農派の矜持

池上　そのように、ソ連型の一党独裁型の社会主義とは異なる社会主義の可能性が東欧諸国を中心に世界的に模索されていた時期に、日本でも山川均や向坂逸郎など、戦中は息を潜めていた、非共産党系のマルクス主義者たちが再び活躍の場を得るようになりました。

佐藤　そうです。先ほど少し話に出ましたが、その多くが雑誌『労農』の同人であったことから「労農派」と呼ばれているグループですね。彼ら労農派のマルクス主義者には学者が多く参加していたこともあって、彼らが組み上げた革命理論は日本独自の事情や国際状況までしっかり考慮されているという点で共産党よりも精緻なものでした。

徳田球一や野坂参三がアメリカ軍は解放軍であり、彼らと手を携えることで平和革命ができると無邪気にも思い込んでいた時期に、**労農派のマルクス主義者たちは、米軍占領下での平和革命など不可能であることを早々に見抜いていました。**

しかも労農派には、共産党と違って戦時中に転向していないという特徴があります。

彼らが転向せずに済んだのは、弾圧下にあっても自分たち自身の力で食いつないでいく術を苦労しながらも見つけることができたからです。向坂逸郎は第一次人民戦線事件[21]（一九三七年）によって九州帝大の教授を辞任させられた後は改造社の『マルクス＝エンゲルス全集』の編纂・翻訳に取り組みましたし、投獄・保釈を経て言論活動を禁じられてからも、小さな畑を耕しての自給自足生活のかたわら匿名でドイツ語の書籍を翻訳していました。

彼が戦時中に匿名で訳した『独逸文化史』（G・フライターク著）は全四巻のうち一巻が一九四三（昭和一八）年に中央公論社から出ています。

21　人民戦線事件：コミンテルンの反ファシズム統一戦線に呼応し、日本で人民戦線の結成を企てたとして、労農派系の政治家や運動家、大学教授・学者グループが一九三七年一二月と翌三八年二月に一斉検挙された事件。

向坂自身が後年に書いた手記によれば、実は向坂自身は二巻目の翻訳も終えていて、ゲラの校正もすべて終わっていたのに発刊の直前で出せなくなったそうです。出せなくなった理由について、中央公論の編集者は向坂が何度尋ねても絶対に答えなかったそうですけどね。

池上　その頃はちょうど横浜事件の頃ですね。戦中の一九四二年から四五年にかけて、雑誌の編集者、新聞記者ら約六〇人が治安維持法違反の容疑で逮捕されて半数が有罪となり、激しい拷問を受けた末に四人が獄中で亡くなった。このとき逮捕されたのが改造社や岩波書店、朝日新聞社、そして中央公論社の社員たちでした。

佐藤　向坂のような社会主義者に仕事を発注することでサポートしていたからこそ中央公論社は横浜事件でやられてしまったのだ、という雰囲気は伝わってきますよね。

ただ『独逸文化史』の邦訳が出せないとなると原稿料が貰えないので向坂としては困るわけです。大いに困るのですが、向坂が凄いのはここでまた腹をくくるのです。「もうこの国では翻訳では食っていけないのは分かった。だったら新しい研究をして学び直しだ」と決心した。そして農業書を取り寄せてジャガイモの作り方を学んだのです。

いいイモをたくさん収穫するには穴をどれくらい掘ればいいのか、堆肥をどうやって作ればいいのか、すべてをイチから学んで、奥さんと馬糞を拾いに行った話なども後年書いています。

あるいは空襲があると、空襲で焼けた家までリュックサックを担いで行って、その中にいっぱい灰を詰めてきて、その灰を肥料にしてイモを作ったこともあったそうなのですが、近所の農民たちは向坂のそのイモ作りを見ながら笑ったそうです。「そんな深く掘って大丈夫か？」とか、「葉っぱの芽が出過ぎるからろくなイモができないぞ」などとバカにされたと言うのですね。

でも、いざ収穫の時期になってみると、向坂のイモ畑は普通の畑の倍もイモが収穫できたので、「日本農業の問題は、非科学的なことだ」なんて憤慨している。そのくらいイモ作りを熱中してやっていたのです。

犬も二匹飼っていたそうですよ。一匹は「マル」と呼ばれる犬で、本当の名前は「マルクス」なんだけど人前で呼ぶわけにはいかないから「マル」なんだと。向坂の戦時中の生活にはこういう面白いエピソードが多いんですよ。

山川均も妻の山川菊栄《やまかわきくえ》と藤沢市でうずらの飼育場を営みながら言論活動を続けました。このように労農派は、どんな体制にあっても生き延びる道はあるはずだと信じて、生活の糧を自力で確保することによって転向を免れた人たちなんですね。

知識人に敬意を払う「弾圧の様式美」

池上　なるほど。一方で戦前に逮捕・投獄された日本共産党員たちは、拷問で殺されたり、獄中で病死したりした人を除けばたしかに大半が転向していますね。敗戦で釈放されるまで転向しなかったのは徳田球一、志賀義雄、宮本顕治などごく僅かです。

佐藤　こういうしぶとい人たちが、戦後の共産党を作る中心になっていくわけですが、当局の側も、向坂逸郎や山川均、宮本顕治のような一つ筋を通す人に対しては面倒くさい野郎だな、とは思いつつもそれなりに敬意を払っているのですね。

逆に最初は「行動共産主義」などと言いながら過激な活動をしていたのに転向してしまって、その後も戦争体制に協力するような手合いのことは、重宝しつつも腹の底ではバカにしていたと思います。

このあたりの雰囲気は現代の官僚も一緒ですよ。官僚たちは、いわゆる御用学者のことを役に立つ連中だとは思っていても、全く尊敬していませんから。

池上　逆に当時の官憲は、転向さえしなければ知識人に対する敬意をそれなりに払っていたということでしょうか。

佐藤　戦時中に逮捕されたり収監されたりした知識人たちの手記を読んでいると、けっこうそう思わせられる事例が出てきますね。

たとえば向坂逸郎は、一九六四年に講談社現代新書から出した『流れに抗して　ある社会主義者の自画像』という回想録で、あと五日で終戦となる一九四五年八月一〇日に特高の刑事がやってきて取り調べを受けたと書いています。向坂は最初はまた連行されるのかと身構えたそうですが、意外にも牛乳を入れた水筒を渡してくれて、「日本はポツダム宣言を受諾しますよ」「これからは先生の時代になります」などと言って帰っていったそうです。

また、宮本顕治が自分の獄中生活を綴った『網走の覚書』（大月書店）は獄中文学の傑作です。宮本は一九四五（昭和二〇）年の五月に巣鴨の東京拘置所から網走刑務所に移送されているんですが、この時に東京拘置所の戒護課長から「どうも君たちのいうようになりそうだ。いよいよ本土が占領されそうになったら中立国のソ連に逃げるより仕方ないが、その節はよろしく頼む」と言われたそうです。

宮本顕治

池上　その頃は完全に日本の旗色が悪くて、しかも独ソ戦も終わってソ連の対日参戦も十分に予測できた時期ですからね。巣鴨から、空襲に遭う危険がない網走に移されたのも一種の配慮かもしれませんね。

佐藤　だから戦前の日本の思想犯への弾圧は、個々の局面では意外と緩い面も共存していたということが、実際に捕まっていた人たちの手記からそこはかとなく漏れ伝わってくるんです。

もっとも、そうした共産主義者の嫌疑をかけられながらも獄中で敬意を払われた知識人のひとりである同志社大学の故・和田洋一《わだよういち》名誉教授（ドイツ文学者）などは、一九五八年の著書『灰色のユーモア　私の昭和史ノォト』の中で、自分の隣の房に入れられていた朝鮮人は逆さづりにされて、それはそれはとんでもない暴行を受けていた、とも書いています。だからそういう、とてつもない弾圧・圧政と、ある種のじゃれあい、緩さが混在・併存していた。それが戦前の日本だったようなのですね。

池上　ただ、反体制的な言論も言論にとどまっている限りは意外と自由があった？

佐藤　隅から隅まで真っ黒黒な暗黒時代で、誰も何も言えないというような時代では案外なかったし、言論活動だけで殺される、ということは必ずしもなかった。だからそういう意味ではやはり日本の体制はナチスとは違っていたと思います。思想という営為に対する、一定の畏敬の念を官憲の側も持っていたという点では。

宮本顕治はなぜ獄中黙秘したか

佐藤　ところで、同じ共産主義者の獄中手記でも、向坂逸郎と宮本顕治では、警察官や検察官に対する書き方がかなり違うのも興味深い点です。宮本は彼らのことを一貫して極悪非道の連中であり、自分は彼らからひどい目に遭わされたという筆致で書くのだけど、向坂逸郎はけっこう同情的なんですよ。

自分を取り調べた特高の刑事に対しても、最初は大学出なのかと思ったが、よくよく身の上を聞いてみたら義務教育しか終えていなかった。それで特高の刑事になったのは独学でよほど頑張ったのだろう、と書いている。先ほどの、ポツダム宣言受諾を終戦五日前に教えてくれた特高の刑事に対しても、「今はどうしているんだろう」と戦後ときどき気にしていたみたいです。

池上　奇妙な余裕が感じられますね。

佐藤　一方で宮本顕治は、「世界一の警視庁の拷問を知らないか、知らせてやろう」とか、「この間いい樫の棒があったからとってある」などと言われてひたすら自分が受けた拷問のことを書いている。「椅子の背に後手にくくりつけ、腿を乱打する拷問を繰り返し、失神しそうになると水をかけた」と書いています。

池上　壮絶ですね。

佐藤　宮本は自分の容疑について完全に黙秘したから拷問を受け、拷問を受けてなお口を割らなかったということで英雄になった。でも宮本が口を割らなかった理由は案外単純だと思います。喋っていたら確実に死刑になっていたからですよ。

池上　宮本の場合は単なる思想犯ではなく、一九三三年の「日本共産党スパイ査問事件」の主犯として逮捕されていますからね。この時、共産党の中央常任委員だった宮本や、野坂も学んだモスクワの東方勤労者共産大学で幹部教育を受け、戦後は党の副委員長も務めた袴田里見《はかまださとみ》[22]らは、同じく党の中央委員だった当時二六歳の小畑達夫《おばたたつお》、そして三五歳だった大泉兼蔵《おおいずみけんぞう》という二人の党員に対して、党の内情を探るために特高から送り込まれたスパイであるという疑いをかけた。そして同年一二月二三日に、東京都渋谷区幡ヶ谷のアジトで査問、つまり取り調べを行ったものの、この時に小畑が〝急死〟してしまったため、宮本らは遺体をアジトの床下に埋めた。しかし翌三四年一月に警察の捜査で遺体が見つかり、宮本は小畑をリンチして殺した犯人、つまり殺人事件の容疑者として捕まった。

佐藤　もちろん、この査問事件についての共産党の現在の公式見解は、「小畑の特異体質による事故」というものですし、小畑の遺体に外傷がなく死因がショック死だったのも事実です。ただ、本当にリンチもされていない小畑が、査問の際の緊張のあまりショック死しただけだったのだとしても、遺体をアジトのアパートの下に埋めてしまっている以上、殺人の容疑を突っぱねるのはかなり厳しいですからね。

　だから宮本には頑張って拷問に耐えなければいけない彼なりの理由はあったのだけど、黙秘を貫いた結果、かなりデタラメな「証拠」を警察に作られてしまった。

　このスパイ査問事件では宮本の少し後に袴田も逮捕されているのですが、袴田は完全黙秘ができなかったので、死後外傷が確認されなかった小畑の身体に炭団《たどん》（火鉢などに使われる、炭を押し固めた燃料）の火を押し付けたとか、硫酸をかけたふりをしたなどの「供述」を作られてしまいました。


〈（前略）査問第二日目ノ取調ヘニ当ツテハ前日ヨリモ厳シク追及シ従ツテ夫レカ為メニ暴行脅迫ノ程度モ前日ニ増シテ居リマシタ　例ヘハ査問中秋笹カ用意シテアツタ斧ノ背中テ大泉ノ頭ヲゴツント殴ルト同人ノ頭カラ血カ出タ事ヲ見受ケマシタ　又秋笹ハ小畑ノ足ノ甲アタリニ火鉢ノタドンノ火ヲ持ツテ来テクツツケマシタ　スルト小畑ハ熱イ熱イト云ツテ足ヲ跳上ケマシタ　夫レカ為メタドンカ畳ノ上ニ散ツテ処々ニ焼跡ヲ拵ヘマシタ　其ノ時私カ薬缶ノ水ヲ之ハ硫酸タト云ツテ脅シ乍ラ小畑ノ腹ノ上ニ振リカケマスト同人ハ本当

22　袴田里見（一九〇四―一九九〇）：戦前の日本共産党にかかわり、戦後は党副委員長に就任。

ノ硫酸ヲカケラレタト感シテ手テ水ヲ除ケ様トシマシタ　其ノ動作カ余リ滑稽テアツタノテ夫レニ暗示ヲ得テ多分木島テアツタト思ヒマスカ真物ノ硫酸ヲ持ツテ来テ小畑ノ腹ノ上ニカケマシタ　スルト段々硫酸カ滲ミ込ンテ来ルト見ヘテ痛カツテ居リマシタ又誰カカ錐ノ尖テ大泉ノ臍ノ上ノ方ヲコズキマシタラ大泉ハ痛イト云ツテ悲鳴ヲ挙ケテ居リマシタ

（後略）〉（袴田里見の第十四回訊問調書）

それに対して、向坂や山川均、宇野弘蔵《うのこうぞう》ら労農派の学者たちが取り調べを受けたときの調書は正確です。なぜ正確かといえば、それは彼らが一九三〇年代半ば以降、積極的に供述したからです。

向坂や山川が書いた論文は検閲が入って伏せ字だらけの状態でしか公表することができませんでした。しかし供述として喋った内容は裁判所に証拠として提出されるので伏せ字にするわけにはいきません。

池上　なるほど。労農派の学者たちはその機会を利用して取り調べに当たった警官を相手に自分の研究内容について思う存分喋ったというわけですか。喋った内容は公判記録として、出版流通まではさせられなくとも、少なくとも形あるものとして手元に残すことはできる。

佐藤　ただその代わり、その記録の謄写代は大変な額が請求されたそうですけどね。人民戦線事件で逮捕された大森義太郎《おおもりよしたろう》（マルクス経済学者）も、長い長い供述をしたのですけど、裁判の時はその謄写代を何千円も請求されてそのお金を用意するのが大変だったと書いていています。

池上　現在の額に換算すると数千万円ですからね。

佐藤　だから戦前は、逮捕されたり裁判になったりした時に自分の身を守るのに大変な金がかかったわけです。そういう、時代の雰囲気のようなものまで分かるから、戦中の政治犯たちの手記は本当に面白いんですよ。

池上　なるほど。東京拘置所での生活を知っている佐藤さんならではの感想のように思えますが。それはともかく、戦前・戦中にマルクス主義者たちが一定の敬意を受けていたことは、戦後に共産党や社会党が熱烈に支持されることになる一種の下地を作っていた可能性もありますね。

本章では左翼史を語るうえで重要な人物たちを取り上げました。**野坂参三や宮本顕治など共産党でリーダーシップを発揮した者たちの人間性を考察することは、当時の党の性格を理解するうえで大変重要です。**政党が残す資料はどうしても「政治的意図」が混在して事実誤認または隠蔽が行われることもありますので、さまざまな資料を渉猟して検証する必要があります。

次の章からは、そうした彼らがいかに戦後に持てはやされたかを中心に、一九五〇年頃までの流れを見ていくことにしましょう。

第二章
左派の躍進を支持した占領統治下の日本（一九四六〜一九五〇年）

……「革命は近い」という空気が漂っていた時代。“黒い霧”が立ち込める。

《第二章に関する年表》

一九四六年	四月一〇日	第二二回総選挙（自由一四一、進歩九四、社会九三、協同一四、共産五など。うち女性議員三九）。
	五月一日	メーデー復活（第一七回）。
	五月一九日	東京で食糧メーデー、「プラカード事件」起きる。
	五月二二日	第一次吉田茂内閣発足。
	六月二九日	共産党、日本人民共和国憲法草案を発表。
	一一月三日	日本国憲法公布。
一九四七年	二月一日	スト中止声明。
	四月七日	労働基準法公布。
	四月二〇日	第一回参議院選挙（社会四七、自由三九、民主二九、国民協同一〇、共産四、諸派一三、無所属一〇八）。
	四月二五日	第二三回総選挙（社会一四三、自由一三一、民主一二四、国民協同三一、共産四）。
	五月三日	日本国憲法施行。

	五月一五日	社会党左派、共産党と絶縁声明。
	五月二四日	片山哲内閣発足。
一九四八年	三月一五日	民主自由党結成（総裁：吉田茂）。
	六月二三日	昭和電工社長の日野原節三が贈収賄で逮捕（昭電疑獄）。
一九四九年	六月一八日	徳田共産党書記長、九月までに吉田政府打倒と発言（九月革命説）。
	七月五日	下山定則国鉄総裁行方不明、翌朝、轢死体で発見（下山事件）。
	七月一五日	中央線三鷹駅で無人電車暴走（三鷹事件）。
	八月一七日	東北本線松川駅付近で列車転覆（松川事件）。
一九五〇年	一月六日	コミンフォルム、共産党の平和革命論を批判、内部対立激化。
	六月六日	マッカーサー元帥、共産党中央委員二四名全員の追放を司令（「所感派」「国際派」に分裂）。
	六月二六日	マッカーサー元帥、「アカハタ」の一ヵ月停刊を指令。

「逆コース」の時代

池上　さて、この第二章からいよいよ、第一章で紹介した戦後左翼の中心人物たちがどのように本格的に歴史の舞台に躍り出てゆき、そして挫折したのかを見ていくことになります。この一連の経緯を考えていくうえで欠かせない前提知識となるのが、いわゆる「逆コース」でしょうね。

前章でも触れたように、戦後間もない時期にGHQが行っていた占領政策は日本の民主化と非武装化が二本柱であり、この基本路線に従い、GHQは農地解放や財閥解体、あるいは「戦争の放棄」と「戦力の不保持」を謳う条文を盛り込んだ新憲法の公布などを進めました。

これを主導したのが、GHQの中でも通常「民政局」と訳される「GS」(Government Section)に集まっていた人々でした。GSには、日本国憲法草案を起草したホイットニー准将をはじめとしたニューディーラー、つまり米国本国で一九三〇年代にフランクリン・ルーズベルト大統領が「ニューディール政策」を行った際に、その政策立案にもかかわった社会民主主義的な思想の持ち主たちが多く集まり、人脈を形成していたのです。

そうした中で一九四五年一一月二日、戦前の無産政党、つまり合法的社会主義政党の関係者たちが大同団結した政党である日本社会党（社会党）が結党され、初代の委員長には、戦前の無産政党・社会民衆党の書記長やその後継政党である社会大衆党の執行委員を務めた片山哲《かたやまてつ》[23]が就任しました。

社会党は一九四七年四月に行われた第二三回衆議院選挙の結果一四三議席（定数四六六）を得て比較第一党となり、同年五月二四日には国会の指名により片山が内閣総理大臣に就任します。

無産政党の党首が総理大臣になったのは、日本の憲政史上これが初でした。

佐藤　連立を組んだ民主党や国民協同党との足並みが揃わず短命政権に終わりましたが、片山内閣の誕生は、GHQの解放政策により勢いづいた、戦後左翼運動の最初の到達点ではあったでしょう。ところがこの解放路線が、ちょうどこの片山内閣発足前後の時期から全く逆の方向に転換してしまいます。

池上　占領政策が「逆コース」を辿り始めた理由は、当時の東アジアの動向抜きに語れません。中国では第二次大戦中、日本という共通の敵を倒すために毛沢東率いる共産党と、蔣介石《しょうかいせき》率いる国民党が一時的に協力関係を結んでいましたが、日本の降伏後は両勢力によ

23　片山哲（一八八七―一九七八）：社会民主主義右派の政治家、キリスト教徒。一九四七年に第四六代内閣総理大臣に就任。

る内戦状態に再び陥っていました。この国共内戦は、最初は国民党がアメリカの後ろ盾を得て有利に戦況を進めていたものの、四七年頃から国民党が戦費調達のために紙幣を発行しすぎたせいで中国国内で大規模なインフレが起き、国民の支持は共産党に移っていきました。中国共産党は四八年末から四九年はじめにかけて決定的な勝利を収め、四九年一〇月一日には毛沢東を指導者とする「中華人民共和国」が建国されました。

さらに朝鮮半島でも、一九四六年二月には、ソ連の支援を受けた金日成《きんにっせい》を中心とした勢力が、連合軍が占領していた北半分の地域で「北朝鮮臨時人民委員会」を設立し、社会主義国家の建国に邁進しつつありました。

こうした、東アジアに社会主義国が誕生していた時代背景を受けて、アメリカの保守派たちは日本を「反共の防波堤」にしようと考え、「非軍事化」の方針は「再軍備」に取って代わり、社会主義運動が取締対象になっていきました。

佐藤　GHQ内部でも、占領政策の主導権はGSではなく、諜報・検閲などを担当する参謀第二部（G2）に移りました。

GSの権威を失墜させるとともに、G2の台頭を許したきっかけとなったのが、大手化学工業会社・昭和電工の社長が国からの融資を受けるために政府高官に賄賂を贈ったとされる「昭和電工事件」です。この疑獄事件には、GSの中心人物であったチャールズ・ケーディス大佐の名前も取り沙汰され、ケーディスは失脚しました。

占領政策の主導権を掌握したG2は、GSとの折り合いが悪かった反共主義者の吉田《よしだ》茂《しげる》（民主自由党党首）を支援するようになり、一九四八年一〇月には第二次吉田内閣が発足します。そして日本は吉田政権下で朝鮮戦争勃発による特需を経験し、さらに独立を果たすことになります。

「寄り合い所帯」としての社会党

池上　さて、以上を概観したうえで、戦後から数年間の左翼史を、まず社会党の結党を起点に見ていくことにしましょう。第一章でも触れましたが、一九四五年一一月二日、戦前の無産政党、つまり合法的社会主義政党の関係者たちが大同団結して日本社会党（社会党）が結党されました。ただ、社会党は実に左右の幅が広い党であり、よく言えば多士済々、悪く言えば寄り合い所帯でした。

佐藤　初代委員長を務めた片山哲も、もともとプロテスタントのキリスト教徒であり、キリスト教的な人道主義と社会主義の融合を目指した「キリスト教社会主義」[24]の中心人物です。

池上　そうですね。片山が書記長を務めた社会民衆党は、日本でまだ労働組合が非合法とされていた時代に組合活動の合法化を求めて実現させるなどの実績があります。しかしこの党が労農党、全国大衆党などと合同してできた社会大衆党は、軍部に協力することと引きかえに国民の社会保障を拡充する路線を志向し、当時の二大政党（立憲政友会と立憲民政党）よりも早く大政翼賛会に合流しました。

佐藤　片山同様に社会民衆党、社会大衆党の幹部を経て戦後に社会党に参加したのが、西《にし》尾《お》末広《すえひろ》[25]ですね。

西尾は一四歳のときに大阪砲兵工廠で旋盤工見習いとなったのをきっかけに労働運動に身を投じ、さらに衆議院議員になるのですが、労働運動出身でありながらゴリゴリの反共主義者で、かつファシズムへの共感を隠そうともしない人物でした。

国家総動員法の審議を行っていた一九三八年三月の衆議院では、法案を支持する立場から当時の近衛文麿《このえふみまろ》首相に向かって、「ヒトラーのごとく、ムッソリーニのごとく、あるいはスターリンのごとく、確信に満ちた指導者たれ」と激励しています。

だいぶ先の話になりますが、西尾は一九六〇年に社会党でも最右派のグループを率いて離党し、「民社党」を結成してその初代中央執行委員長（党首）になります。民社党は安保に関しては社会党・共産党と同様に自民党に反対したものの一定の理解を示し、その他の政策でも自民党に近い立場をとることもありました。

池上　かたや左派には、一九二二年の共産党結党メンバーのひとりであったものの大衆運動との結びつきをより重視してすぐに党を離れた山川均、さらに戦前にドイツに留学してマルクス経済学を学び、国内におけるマルクス経済学の第一人者と認知されていた向坂逸郎などがいました。

佐藤　**戦後の混乱期は、向坂逸郎や山川均に代表される労農派、つまり非共産党系のマルクス主義者たちもいれば、片山哲や西尾末広のような人物もいるというように、多様な思想を持つ運動家がひしめいていた時代でした。**

また同じ労農派でも、山川均と向坂逸郎ではソ連観がかなり違います。向坂逸郎は老年になるほどにソ連を理想化する傾向が強まり、晩年はソ連や東ドイツの礼賛者になりました。

それに対して山川均は、年を経るにしたがってソ連は社会主義国ではないという信念を強めていきました。ソ連という国は国家資本主義ないしは国家社会主義の国ではあるかも

24　キリスト教社会主義：キリスト教の信仰と思想のなかに社会主義思想を見いだし、それに基づいて資本主義の抱える社会労働問題の解決を図ろうとする思想と運動の総称。
25　西尾末広（一八九一―一九八一）：労働運動出身の政治家。昭電疑獄で失脚するも一九五二年に右派社会党結成時に復党、一九六〇年に結党した民主社会党の代表を務めた。

西尾末広

しれないけれど、いずれにしても社会主義でもマルクス主義の国でもないし、日本はソ連のようになってはいけないと思うようになったのです。

社会党の中心的な政策である「非武装中立」論にしても、元々は山川均が言い出したことです。山川がこの主張を掲げるに至ったロジックは筑摩書房から出ている『近代日本思想大系19　山川均集』所収の論文で読むことができますが、かいつまんで説明すると、民主主義がまだ根付いていない日本で再軍備が強行された場合、反動的な政権が成立して反政府勢力との間に内戦が発生する可能性が高く、その際にはソ連などが内戦に乗じて日本に侵攻してくるだろうと考えていたからです。そのくらいソ連のことを信用していませんでした。

話は前後しますが岸信介《きしのぶすけ》、つまり安倍晋三前首相のお祖父さんは、戦後に公職追放が解かれて政治活動を再開するにあたって、まず社会党に入党を希望して実際に申請もしています。

岸が戦前から商工省の官僚、さらに商工大臣として目指していた「国家統制による平等」を戦後の日本で実現するには、社会党のほうが近道だ、という判断があったからです。

これに対して当時の社会党は「あなたは戦犯だからダメだ」と断ったわけですが、戦後に国民皆保険制度や国民年金、最低賃金法など現在も存続する日本の社会福祉制度を確立させたのはのちの岸内閣（一九五七~六〇年）でした。

なぜ国のトップが「書記長」なのか

池上　こうして関わった人物たちの名前を見ていくだけでも、社会党という政党が「なんでもあり」の政党だったということはよくわかりますね。

マルクス主義者ではあるけれど共産党には賛同できない人、また必ずしもマルクス主義の信奉者ではないけれどリベラルな考え方を持つ知識人は戦前・戦中もいて彼らも共産党同様に弾圧されましたし、キリスト教徒や創価学会の会員たちなど多くの宗教者も弾圧されていました。

彼らが敗戦と同時に、それまで戦争を推進してきた人々と入れ替わる形で新国家建設の担い手として躍り出てくるにあたって、その多くは「これまでのような軍国主義的な日本はもうイヤだ。しかし共産党に入るのは御免だ」と考えた。そうした人々がとりあえず小異を捨てて大同につくと決めて結成されたのが社会党という政党だったということでしょうね。

その結果として日本社会党は実に雑多な思想の持ち主が集まる、非常に翼幅の広い政党になりました。しかし多種多様な候補が出れば、それだけ多種多様な支持者も集まる。それゆえに選挙では強く、終戦翌年の第二二回総選挙では片山書記長以下九三人が当選しましたし、冒頭でも述べたようにその次の第二三回総選挙では比較第一党にもなっています。

佐藤　多様な人たちがいると同時に、今のボロボロの社民党からは考えられないほど高水準の知識人たちも当時の社会党には結集していました。だから党としてのトータルな知力も非常に高かった。一九七四年に社会新報（日本社会党とその後継である社民党の機関紙）から刊行された『日本社会党の三十年』は理論的な完成度が際立って高い本です。これほどの本を作るのは今の社民党には不可能でしょう。

基本的にこの時代の知識人は、社会党系か共産党系でおおよそ大別できます。

当時はまだ、「本格保守」と呼べるような知識人は存在していない時代です。保守合同（一九五五年）以前の自由党や民主党を支持している人といえば、何らかの個別利権とつながっていそうな連中ばかりで、シンパの言論人にもカネで簡単に転ぶタイプの人が少なからずいました。

　そうしたなかで労農派マルクス主義者の中心人物である山川均は一九四六年一月、社会党と共産党が一緒にやっていくべきだ、人民戦線をとりあえずつくっていこうじゃないかと呼びかけをし、これには野坂参三たちも乗り気でした。

　ただ、これは両者の思惑が違うんですよ。山川均たちは本当に、あらゆる党派の垣根を越えて参加できるオープンネットワーク的な人民戦線を考えていたのだけど、野坂たちはその人民戦線に入り込めば遠からず日本の左翼運動内でのヘゲモニー（主導権）を握れると考えて呼応した。

　そしてこれは、実はいまの共産党が沖縄でやっていることに似ています。沖縄では保守・革新の両陣営が「新基地建設反対」という一点で団結する「オール沖縄」勢力が翁長《おなが》雄志《たけし》前知事の時に形成され、現在も選挙協力などを続けていますが、実はあの事務機能は共産党が掌握しています。

　ひとつの政治運動は事務局を掌握しさえすれば全体をコントロールすることが可能です。これは「事務局」を「書記局」に言い換えればわかりやすいと思います。

池上　ＮＨＫで「週刊こどもニュース」の解説をしていた頃、学級会の記録係くらいのイメージしかない「書記長」がなぜソ連でいちばん偉いポストなのか、子供たちからよく尋ねられました。でもソ連においてスターリンがあれほどの独裁的権力を持ちえたのは、元々は事務職の取りまとめ役的なポストにすぎなかった書記長の権限をフルに使ったからですね。

ソ連共産党に書記局が作られたのは、もともとは初代の最高指導者であるレーニンを補佐する事務局としてであり、スターリンはその部署のトップでした。一般の会社で言うと総務部長のようなものでしょう。しかし現代の企業の総務部がまさにそうであるように、ソ連共産党の書記局には人事に関する情報や党内のトラブルまであらゆる情報が集中しました。スターリンはその情報を駆使することで党内をのし上がっていったのです。

一九二二年にレーニンが脳梗塞で倒れ、療養生活を余儀なくされた際も、レーニンへの連絡役を務めたのは事務方トップのスターリンでした。そしてこの時にスターリンはレーニンに対し徹底的に自分に都合の良い情報ばかりを吹き込む一方、党内のほかの実力者たちに対しては、「レーニンの指示である」という体裁を取りながら自分の好きなように異動・左遷・粛清していった。その結果としてスターリンはレーニンの後継者となり、スターリンの肩書である書記長もまた、共産党の最高指導者を指す言葉として定着していった。

政治の世界では結局、情報を武器にできた人が一番強いのだということをよく表していますね。

佐藤　国連のトップも、日本では普通「事務総長」と訳されますが、あれは「Secretary-General」なのですから「総書記」のほうが正確ですよね。

ですから事務局を握るのは共産党にとっては常套手段なんです。事務機能さえ掌握してしまえば、そこを基盤にしてひとつの組織を押さえることができることを知り尽くしている。

テロが歴史を変えた『風流夢譚』事件

佐藤　いずれにしても共産党と統一戦線・人民戦線を組むという山川均の構想は、社会党内の反共系の人たちの支持を得られず「時期尚早」とされ挫折しました。反対派の中に、共産党と一度組んでしまったら軒を貸して母屋を取られる事態になりかねないという懸念があったからです。

しかしその一方で共産党の側では、すでに第一章でも言及したように「占領下で平和裏に革命を実現する」という方針を一九四六年二月二四日の第五回党大会でも採択し、議会主義を掲げて第二二回総選挙での議席獲得を目指すようになります。すると若者が争うように共産党へ入党し、一九四六年四月の第二二回衆議院選挙で五議席も獲得してしまっます。この時に徳田球一書記長と、志賀義雄、野坂参三の政治局員も衆議院議員になっています。

五議席というのは同じ選挙で社会党が獲得した九三議席と比べれば微々たる数に感じられるかもしれませんが、ほんの一年前まで非合法で、共産党員というだけで身の危険さえ覚悟しなければいけなかった政党としては驚異的です。

そして翌五月には、戦時中は長らく禁止されていた労働者の祭典メーデーが一一年ぶりに実施されました。ただこの頃、東京では食糧不足が本格化していました。

池上　敗戦まで、日本国内で消費される米の多くは朝鮮から調達していましたからね。配給システムの中に朝鮮が組み込まれていた。それが日本の敗戦とともに朝鮮半島で朝鮮が独立したことで米が届かなくなり、一年のタイムラグを経て食糧危機が起きた。

その状況で満州や朝鮮などからの引き揚げ者、さらに帰還兵など合計六〇〇万人とも言われる日本人が一斉に帰国しようとしていたのですから食糧不足は大変なものだったでしょうね。

佐藤　だから当時の外務省の記録を見ると最初は現地残留方針、つまり植民地にいる人たちに対して、とりあえず現地に留まれという指示を出しています。彼らが一斉に日本に戻ってくれれば食糧が足りなくなるのは明白ですからね。結果的にそれで逃げ遅れ、旧満州などでは侵攻してきたソ連兵、あるいは現地人の略奪・暴行の被害に遭った人も少なくなかったのですが……。
いずれにしても戦後最初のメーデーが行われたのは、そのような食糧危機に見舞われた状況下でした。だからあのようなプラカードも掲げられた。俗に「天皇プラカード」「チンタラプラカード」と言われているものですが。

池上　「詔書　國体はゴジされたぞ　朕はタラフク食ってるぞ　ナンジ人民　飢えて死ね　ギョメイギョジ」ですね。
これを掲げていた松島松太郎《まつしままつたろう》という共産党員の労働者は不敬罪で逮捕・起訴されてしまった。不敬罪が廃止されるのは一九四七年の刑法改正以降のことで、この頃はまだ不敬罪が存在していましたからね。

佐藤　そして結局これが最後の適用例になるものの、GHQの意向もあって一審判決は不敬罪を認めず名誉毀損罪で有罪とした。これが今に至るまで影響力を及ぼす重要な判例として機能しているわけですね。
ただ、あらためて考えてみると、どうなんでしょう？　仮に今、一般国民が天皇へのこのレベルの当てこすりを、皇居前でプラカードを掲げてやったらどうなると思いますか？

池上　まず強制排除はされるでしょうね。それだけでなくネットで住所や名前を特定されて袋叩きに遭うかもしれません。

佐藤　だからそういう意味では、天皇タブーは今のほうが強まっているかもしれないですね。

池上　そのきっかけになったのは、やはり一九六一年に起きた『風流夢譚《ふうりゅうむたん》』事件なんでしょうね。『楢山節考《ならやまぶしこう》』などで知られる小説家の深沢七郎《ふかざわしちろう》が、「中央公論」に発表した短編小説『風流夢譚』で皇室を侮辱したということで、右翼団体所属の少年が中央公論社の嶋中《しまなか》鵬二《ほうじ》社長の自宅に押し入り、家政婦の女性が殺害された。戦後からこの事件までの約一五年間は、天皇や皇室を揶揄したり批判したりしても、それほど大きな問題にはなりませんでしたからね。

佐藤　だから**やはり、テロという行為は歴史を変えてしまうんですよ。**『風流夢譚』事件は右の側が起こした事件ではありますけどね。

社会党と共産党のユニークな憲法草案

佐藤　さて、敗戦により大日本帝国憲法に代わる新しい憲法が必要だということになるわけですが、四六年一一月三日の日本国憲法公布に先立って、四五年末から四六年春頃にかけては多くの民間有識者が憲法改正草案を発表しており、四六年に入ってからは各政党も相次いで公表しています。ただ、このときに各政党が発表した案は、社会党も含めてどこも大日本帝国憲法の焼き直し以上のものではありませんでした。

池上　社会党が四六年二月に発表した「憲法改正要綱」も、「新憲法を制定して民主主義政治の確立と、社会主義経済の断行を明示す」「平和国家を建設するを目標とするを以て、従来の権力国家観を一掃し、国家は国民の福利増進を図る主体たることを明かにす」と方針・目標を掲げた一方で、主権と統治権に関しては、「主権は国家（天皇を含む国民協同体）に在り」「統治権は之を分割し、主要部を議会に、一部を天皇に帰属（天皇大権大幅制限）せしめ、天皇制を存置す」とするなど、現在の憲法が取り入れている最重要理念のひとつである「主権在民」が盛り込まれていませんでした。

佐藤　その中にあって**共産党が発表した草案「日本人民共和国憲法草案」だけが「天皇制廃止」「一院制」「再軍備」を唱えており、独自性を発揮していました。**

池上　「天皇制支配体制によつてもたらされたものは、無謀な帝国主義侵略戦争、人類の生命と財産の大規模な破壊、人民大衆の悲惨にみちた窮乏と飢餓とであつた。この天皇制は欽定憲法によつて法制化されてゐた様に、天皇が絶対権力を握り人民の権利を徹底的に剝奪した」という前文から始まる憲法草案ですね。

「天皇制の廃止、寄生地主的土地所有制の廃絶と財閥的独占資本の解体、基本的人権の確立、人民の政治的自由の保障、人民の経済的福祉の擁護——これらに基調をおく本憲法こそ、日本人民の民主主義的発展と幸福の真の保障となるものである」とも謳っています。

佐藤　その後に行われた国会での憲法草案審議でも、共産党の姿勢はブレていません。天皇の立場を規定した第一章（一〜八条）すべてに反対したのはもちろん、「国会は、衆議院及び参議院の両議院でこれを構成する」として二院制を定めた現憲法の四二条にも反対しています。参議院など大日本帝国憲法下の貴族院の残滓にすぎないという理屈です。さらに九条、つまり戦争放棄のための規定にも反対しました。

池上　共産党が現憲法制定時に九条に反対していたことは今の若い人には驚きかもしれませんね。先ほど紹介した「日本人民共和国憲法草案」の第五条には、「日本人民共和国はすべての平和愛好諸国と緊密に協力し、民主主義的国際平和機構に参加し、どんな侵略戦争をも支持せず、またこれに参加しない」という規定もあるのですが、ここで共産党が否定したのはあくまで侵略戦争であって自衛戦争は否定していませんでした。だから野坂参三らも国会審議で、「戦争にも、いい戦争と悪い戦争がある」「国を守るための戦争は必要だ」と主張して自衛権を認めさせようとしていました。

共産党の幹部がこのような主張をしていた事実は、当時の空気を想像しないことには今の人は理解できないだろうと思います。**第二次世界大戦の終結後、世界では次々に社会主**

義国が誕生し、敗戦下の日本では人民が飢え、しかし飢えているがゆえにメーデーには大勢の労働者たちが集まってくる。プロレタリアの怒りはもはや沸点を超えつつある。革命は近い――そう思わせるだけの空気があった。野坂の再軍備論にしても、来たるべき革命戦争、つまり社会主義国である「日本人民共和国」が、米英など資本主義陣営の国と戦争する事態を念頭に置いていればこその主張でしょう。

佐藤　四六年一二月に「ソ連地区引揚に関する米ソ暫定協定」が結ばれたことで、四〇万人以上のシベリア抑留兵たちの帰国事業が翌年から始まったこともその空気を盛り上げていたはずです。彼らの中には抑留中に洗脳され、共産党シンパになった者も多かったことから、日本国内の共産党員の間では「革命軍の上陸だ」と期待されていましたから。

「共産党的弁証法」という欺瞞的リアリズム

佐藤　こうした戦後間もない時期の共産党が唱えていた、「日本は軍隊を持ち、中立自衛の道をゆくのだ」という主張にはある種の乾いたリアリズムがありますね。国家がある以上戦争は必然であるし、戦争にはいい戦争と悪い戦争がある、というわけです。

この、**「どんなものにも良いものと悪いものがある」というロジックは、共産党的弁証法の特徴です。**「良い戦争」と「悪い戦争」があるように、「良い核兵器」と「悪い核兵器」もあって、ソ連や中国などが持つ核兵器は帝国主義者による核戦争を阻止するものとして正当化される。

そしてこの延長で、「良いスキャンダリズム」と「悪いスキャンダリズム」という理屈も当然ありえるわけです。権力者のスキャンダルを暴くのはいいことだけど、共産党員のスキャンダルは党内部で処理するべきことであり、これを外部に漏らす行為は反階級的であり反革命的だ、などというダブルスタンダードな言辞を悪びれることなく言えてしまう。

これこそがスターリン主義の弁証法で、「弁証法」という言葉を使うとどんなことでも正当化できるのです。だから彼らは絶対に謝らないし、そもそも自分が悪いと思ってさえいない。共産党歴が長い人ほど、そういう思考回路ができあがってしまっているから怖いんですよ。

池上 だから共産党のそういう部分についていけない人は多かったのでしょうし、私の高校時代の国語の教師などはまさにそうでしたね。彼は戦争中は絵に描いたような軍国青年だったのですが敗戦で価値観がひっくり返り、戦後すぐに共産党に入党したんです。しかし、それからしばらくして共産党にも絶望して離党した。その後はすっかり虚無的になっていました。

佐藤　それに関しては、「週刊新潮」の二〇二〇年新年号の企画で読売新聞社の渡邉恒雄《わたなべつねお》主筆と対談した際に面白い話を聞きました。よく知られているように、渡邉氏は若い頃、東京帝大文学部哲学科の学生だった時に陸軍二等兵として徴兵され、敗戦後は共産党に入党して東大学生細胞（支部）のメンバーとして活動していた人です。私との対談でも当然その話題になったのですが、そのとき渡邉さんは、自分が共産党を離れなければいけなくなった理由として「倫理の欠如」を挙げていました。

〈渡邉　戦争が終わって、昭和二〇年末に共産党本部に入党届を持って行った。そうしたら地下にあったビラに「党員は軍隊的鉄の規律を厳守せよ」と書いてあった。何だこれ、ここも軍隊じゃないかと思ったね。もう入党届を出してしまったからすぐには脱党できない。だから一年半くらい党にいて、共産党東大細胞の中で「主体性運動」を起こした。マルクス・レーニン主義には、マルクスやレーニンの本のどこを読んでも、人格的価値、道徳的価値が出てこない。それはおかしいんじゃないか、倫理的価値が位置づけされていないんだよ。それはおかしいんじゃないか、ということだね。〉

〈僕は片足は共産党にかけながら、もう片足はカントなんだ。共産党東大細胞による「東大新人会」を作って、社会主義学生運動の中にカント的人格主義を持ちこんだ。当時、フォアレンダーというドイツの哲学者の『カントとマルクス』という本が出て、それを読みふけった。やっぱり同じ疑問を持っている人がいるもんだと思ったね。でもカントとマルクスの融合は無理なんだよ。だからやっぱり共産党を出なきゃダメだと思った。まあ一年ほど、そういうことを書きまくって活動したから、除名だよ。共産党東大細胞は解散させられ、僕は本富士《もとふじ》警察署のスパイということにされてしまった。〉

渡邉さんは「カントとマルクスの融合は無理」と言っていましたが、カントの認識論や倫理学によって、マルクス主義を補完しようとする新カント派マルクス主義の一派も存在します。ただ若い頃の渡邉さんが気づいた「マルクス主義が人格的価値を重視していない」というのはさすがに鋭い指摘で、だからこそ共産党や後に述べることになる新左翼は往々にして「目的が手段を浄化する」という発想にとらわれ、暴発してきました。

池上　軍事教練で上官から意味もなく殴られる軍隊での生活にうんざりして共産党に入ったのに、入党してすぐ「党員は軍隊的鉄の規律を厳守せよ」というビラを見せられた時点で相当に幻滅もしていたのですね。

労働歌と軍歌の奇妙な共通点

佐藤　そう考えると、たしかに共産党がつくる労働歌って、だいたい戦前の軍歌の替え歌が多かったですよね？　一番有名なところでは、「♪聞け万国の労働者〜」から始まるメーデー歌。あの歌は『歩兵の本領』という軍歌とメロディーが全く同じで、JASRACにも同じ栗林宇一《くりばやしういち》作曲で登録されているんですよ（※原曲の『歩兵の本領』は永《なが》井建子《いけんし》作曲としても登録されている）。軍歌のメロディーをそのまま、歌詞だけを替えて労働歌にしている。

池上　「♪とどろきわたるメーデーの〜」ですね。

佐藤　ちょっと歌詞を読みながら聴いてみましょう。動画サイトでそれぞれタイトル検索すれば聴くことができます。

『聞け万国の労働者』（通称『メーデー歌』）
（作詞）大場勇（池貝鉄工所勤務、機械労働組合連合・本芝労組所属の労働者）
（作曲）栗林宇一

1　聞け　万国の労働者
　とどろきわたるメーデーの

示威者《じいしゃ》に起こる足どりと
未来をつぐる鬨《とき》の声

2
汝の部署を放棄せよ
汝の価値に目醒むべし
全一日の休業は
社会の虚偽をうつものぞ

3
永き搾取に悩みたる
無産の民よ　決起せよ
今や二十四時間の
階級戦は来りたり

『歩兵の本領』
（作詞）加藤明勝（陸軍中央幼年学校［のちの陸軍予科士官学校］第10期生）
（作曲）栗林宇一

1

万朶《ばんだ》の桜か　襟の色
花は隅田（吉野）に嵐吹く
大和男子《やまとをのこ》と生まれなば
散兵線《さんぺいせん》の花と散れ

2

尺余の銃《つつ》は武器ならず
寸余の剣《つるぎ》何かせん
知らずや　ここに二千年
鍛えきたえし大和魂《やまとだま》

3

軍旗まもる武士《もののふ》は
すべてその数二十万
八十余ヶ所にたむろして
武装は解かじ夢にだも

佐藤　お聴きの通りメロディーは全く一緒です。たしかに軍国主義下の日本と違う、なにか本当に新しいことを始めようと考えていたなら、軍歌のメロディーの流用なんてしなかったでしょうね。それをこうもあっさりやってしまったのは、両者の体質がよく似ていたからとしか思えません。

共産党の失墜を決定づけた「二・一スト中止」

佐藤　そして一九四七年。この年には二・一ゼネストの中止がありました。

池上　そうですね。ゼネラルストライキ。要するに共産党が主導して、あらゆる産業が一斉にストライキをしようと呼び掛けた。それに対してマッカーサーが、これを実行に踏み切ると大きな混乱が起きるということで中止を命令した。

　このストを最高責任者として計画していたのは、当時の国鉄労働組合総連合の中央執行委員長で、四六年一一月に結成された全官公庁労働組合共同闘争委員会（全官公庁共闘）の議長でもあった伊井弥四郎《いいやしろう》[26]ですが、共産党の指導者である徳田球一委員長も中止の決定に関与していました。

　マッカーサーの命令を苦渋の決断で受け入れた伊井は、最後はＮＨＫのラジオ放送でスト中止を発表し、その時に「私はいま、一歩後退二歩前進という言葉を思い出します。

……日本の労働者および農民万歳！　我々は団結せねばならない！」という名セリフとともに泣き崩れました。

この二・一ストをめぐっては、仮にこのストが成功していたら吉田内閣の打倒はおろか、共産党と労働組合の幹部たちを中心とした人民政府の樹立も不可能ではなかったのではないか、という歴史的な評価もあります。しかしここで足を引っ張ったのが、巣鴨からの釈放時にGHQを「解放軍」と規定してしまった徳田による声明「人民に訴う」でした。

自分たちが解放軍として祭り上げてしまった以上、共産党はGHQの占領政策を批判できない立場になっていましたし、その総帥であるマッカーサーの命令にも逆らうことができなかったわけです。

結局この声明により、徳田らはいちばん肝心な場面で自分たちの手足を縛る結果になってしまいました。

佐藤　さすがにこれ以降、共産党も目が覚めたようで、進駐軍が解放軍でないことには気

26　伊井弥四郎（一九〇五―一九七一）：昭和の労働運動家。一九四六年に全官公庁共闘委員会議長となり、翌年の二・一ゼネストを準備した。

付くのですけどね。しかしいずれにせよ**GHQに屈して二・一ストを中止したことで、共産党は日本の労働運動を大幅に後退させる決断をした、という批判を浴びることになり、労働運動における主導的立場から転落してしまいます。**一年前には共産党との人民戦線形成を目指した社会党の左派も、これを機に共産党とは一線を画すことを考え始め、五月一五日に絶縁を宣言する、という流れです。

徳田球一個人にとっても、この二・一ストを指揮するまでが革命家としての絶頂の時期であって、この後は下り坂を転がるような運命を辿ることになります。

ただ徳田に関して一点注意しておかなければいけないのは、彼自身は必ずしも自分が日本人であるという意識を持っていないことですね。徳田は沖縄・名護の生まれで、自分は琉球人であるという意識を持っており、戦後すぐに作られた沖縄県出身者の団体である沖縄人連盟の顧問も務めていました。「球一」という名前にしても「琉球一の人物になれ」という願いを込めてつけられたものですし、戦後間もない時期の共産党は、徳田書記長のもと沖縄の独立を支持する立場を明確にしていました。

しかも当時の共産党に関して興味深いのは、徳田に次ぐ中核メンバーである七人の政治局員に野坂や志賀義雄などと並んで、第一章でも触れた朝鮮ビューロー（共産党内の朝鮮人グループ）のリーダーである金天海（一九五一年に朝鮮労働党に移籍）も名を連ねていたことです。

つまり当時の共産党では、日本人ではなく琉球人や朝鮮人というアイデンティティを持つ者が指導部にいることはまったく問題視されていなかった。むしろ「プロレタリアートに国境はない」という理念に忠実に、日本人・琉球人・朝鮮人によるインターナショナル組織で世界革命を志向していた。

これは、今の共産党に国籍条項があることと比較するとたいへんに興味深い事実です。日本共産党は一九六〇年代以降、宮本顕治書記長らの決定で、外国人の入党を全面的に禁止していますから。

また今の日本共産党は、沖縄独立論とは一線を画すことを党の公式の方針に掲げています。だから徳田が沖縄の独立を主張したことについても、二〇〇三年に出した「八十年党史」(『日本共産党の八十年』)ではっきり「誤り」であると総括されています。ちょっと読んでみましょうか。

〈また、大会(註=第五回党大会)は、アメリカが沖縄を本土ときりはなして米軍直轄の特別地域としたことにたいして、徳田の提唱でこれを「沖縄民族」の独立への一歩としてとらえ、「沖縄民族の独立を祝うメッセージ」を採択しました。これは、明治いらいの専制政治による沖縄県民にたいする差別的抑圧への反発が、アメリカの沖縄占領への無警戒とむすびついて生みだされた誤りでした。アメリカの占領政策への批判がゆるされないもとで、党は、四八年八月の中央委員会総会で、「民族的、歴史的にみてもともと日本に属すべき島々の日本への帰属」を「講和に対する基本方針」にかかげました。そして、沖縄における祖国復帰運動の展開と交流をへて、五〇年代以降、沖縄の全面返還の要求をかかげることになりました。こうして、「沖縄メッセージ」の誤りは克服されてゆきました。〉(75頁)

このように、沖縄への姿勢からも、多国籍だった共産党の変質を見て取ることができます。

池上 「労働者に祖国はない」というのは、そもそもの国際共産主義の常識であったのですが、日本共産党は党員を日本人に限定したことで、日本国内での不信感を少しでも減らそうとしたのでしょう。それはそれなりに成功したのでしょうが、やがて選挙のポスターに富士山の写真を配するなど、〝愛国的〟になっていく素地を作り出しました。

真相不明の「三つの怪事件」

佐藤　さて、二・一スト中止によって戦術的後退を強いられた共産党ですが、「解放軍」幻想から醒めたことで、むしろこの頃から本格的な革命方針を打ち出し始めます。

一九四九年二月五日から二日間行われた中央委員会総会では、野坂が「新国会対策にかんする報告」の中で「民主人民政権はいまや現実の問題になった」と発言しました。さらに同年六月一八、一九日に行われた第一五回拡大中央委員会では、徳田が、九月までに吉田内閣を打倒し民主人民政府を成立すると宣言し、これがのちに「九月革命説」として流布されていきます。

この説の流布を受けてＧＨＱが懸念したのが、日本全国で物資・人員の大量輸送を担っている国鉄が共産党の最大の拠点と化しており、国鉄労働者の大半が共産党系労組の国労（国鉄労働組合）に加入していたことでした。しかも彼らがシベリアからの帰還兵たちと呼応することで、革命の実行部隊になりかねなかった。だからＧＨＱはここで、国鉄の大規模な人員削減を行うように国鉄の下山定則《しもやまさだのり》総裁に命じるわけです。

七月一日には職員約一〇万人を解雇する決定がなされ、同四日には組合側に、第一次整理の対象となる三万七〇〇〇人の名前が通告されました。

すると七月五日、下山総裁が三越日本橋店に入ったところで行方不明となり、翌六日未明に東京都足立区の常磐線と東武伊勢崎線が交差する付近で轢死体で発見される「下山事件」が発生します。

これが自殺だったのか、それとも他殺だったのか。今となってはもはや永遠の謎ですが、当時のメディアは読売と毎日が自殺説、朝日は他殺説と真っ二つに割れて報道合戦を繰り広げました。

そして下山総裁の轢死体が見つかった一〇日後の七月一五日には、中央線の三鷹駅で無人電車が暴走する「三鷹事件」、さらに八月一七日、東北本線の松川駅付近で列車が転覆して死傷者が発生する「松川事件」が発生します。当局はこの三つの事件がいずれも共産党の仕業であると発表し、共産党は急速に退潮していくことになります。

この三大事件については、松本清張さんが『日本の黒い霧』などでGHQによる謀略との見方から真相に迫ろうとしています。また下山事件については、事件当時朝日新聞の記者として取材した矢田喜美雄《やだきみお》さんによる、『謀殺・下山事件』という優れたノンフィクションも出ています。

池上　そうですね。この頃になると、本章の冒頭でも触れた占領政策の「逆コース」が完全にはっきりしたものになっています。GHQの中でも、社会民主主義的な考えを持つニューディール左派が多く集まっていたGS（民政局）は主導権を失い、代わりに保守主義者の集まりで、日本を冷戦構造に組み込もうとするG2（参謀部参謀第二部）の影響力が俄然強くなっていました。

佐藤　しかもG2は旧日本陸軍の元参謀らに目をつけ、個別に資金を提供してインテリジェンス機関（特務機関）を作らせたことが判明しています。

代表的なところでは、G2のトップであるチャールズ・ウィロビー少将がジャック・Y・キャノン少佐に作らせたG2直属の諜報機関である「キャノン機関」。そのキャノン機関の直属組織で、長光捷治元憲兵中佐が動かしていた「柿ノ木坂機関」であるとか、服《はっ》部卓四郎《とりたくしろう》元陸軍大佐に日本の再軍備について研究させていた「服部機関」、有末精三《ありすえせいぞう》元中将のもと、大本営の元参謀たちをG2にスカウトしていた「有末機関」などもありましたね。

こうした機関が、おそらくは今の内閣情報調査室（内調）、公安調査庁（公調）などの組織の元になっているのでしょうし、戦後の公安警察の復活に関しても大きい役割を果たしたのは間違いないでしょうね。下山事件、三鷹事件、松川事件をはじめとする戦後の謎の事件でも、これらの機関の名前は必ず取り沙汰されました。

コミンテルンの系譜

佐藤　そして三大怪事件から半年後の一九五〇年一月、コミンフォルムが日本共産党の平和革命論を批判し、これ以後、共産党内部の対立が激化します。

池上　コミンフォルムについては、その成り立ちを含めてちゃんと説明しておかないといけませんね。コミンフォルムの正式名称は「共産党・労働者党情報局」。第二次世界大戦後の国際共産主義運動の拠点になった組織です。

コミンフォルムの源流は、マルクス、エンゲルスらが一八六四年にロンドンで設立した、社会主義者たちによる世界最初の国際政治結社である「国際労働者協会」、通称「第一インターナショナル」にあります。組織名が「インターナショナル」である理由は、共産主義においては、世界各地の労働者が国籍・国境に縛られることなく団結する国際主義が革命の実現のために重要と考えられているから。ただこの第一インターナショナルは、中心人物であったバクーニンがマルクスと思想的にぶつかったことで分裂し、一八七六年に解散しました。

その後、マルクスの死を経て一八八九年に「国際社会主義者会議」、通称「第二インターナショナル」がドイツの社民党を中心として結成されるのですが、第一次世界大戦が長引くにつれて各国の支部がナショナリズムに傾き、自国の戦争を支持するようになったことで崩壊。当時スイスに亡命していたレーニンたちは分派して、大戦後の一九一九年に共産主義インターナショナル（第三インターナショナル）を結成します。この第三インターナショナルを軸にして世界にネットワークを張り、ロシアで成功した社会主義革命を世界各国に輸出しようとしたわけです。

すでに何度か言及している「コミンテルン」は、この第三インターナショナルのことです。中国共産党も、もともとはコミンテルン中国支部として発足しました。

佐藤 日本共産党も、もともとは共産主義インターナショナルの日本支部、すなわち国際共産党日本支部ですからね。戦前の「赤旗」――創刊当初はアカハタではなくセッキと音読みで読んでいました――にも、発行元は「国際共産党日本支部」であるとちゃんと書かれています。

ちなみに、コミンテルンの本部はモスクワにありましたが、公用語にはロシア語でなく、マルクスの母語であるドイツ語が使われていました。今ではコミンテルンというと一部の保守派しか使わない言葉になってしまいましたけどね。「日本が中国との戦争を始めたのはコミンテルンの陰謀だ」「真珠湾攻撃もコミンテルンの秘密工作のせいだ」とかね。

このように世界各地の共産党を指揮していたコミンテルンですが、一九四一年六月にナチス・ドイツが独ソ不可侵条約を破ってソ連に侵攻すると、ソ連がナチス・ドイツを相手に戦争している状況で革命の指導などできないということで、スターリンは一九四一年の時点でコミンテルンの機能を事実上停止し、四三年に正式に解散させます。

池上　ちなみにレーニンの死後、スターリンによって指導されていた第三インターナショナル（＝コミンテルン）に対抗して、一九三八年にはレフ・トロツキーの呼びかけにより第四インターナショナルも結成されていますね。トロツキーはロシア革命を成功に導いた指導者のひとりでしたが、一九二〇年代にスターリンとの権力闘争に敗れて共産党を除名され、メキシコに亡命、さらにスターリンがメキシコに送り込んだ刺客によって一九四〇年に暗殺された人物です。

トロツキーと第四インターナショナルの存在は、第四章でもう一度出てくるはずなので覚えておいてほしいです。

共産党の分裂＝「所感派」と「国際派」

佐藤　さて、さきほども述べたようにコミンテルンは第二次大戦中の一九四三年に解散してしまったわけですが、戦争が終わり、また共産主義革命の機運が盛り上がると、やはり国際共産主義運動の拠点が必要だということになったので新たに「共産党間労働者党間情報局」を作った。これがコミンフォルムです。

最初コミンフォルムの本部はユーゴスラビアのベオグラードに置かれるのですが、ユーゴスラビアが革命方針をめぐってソ連とぶつかってしまったのでルーマニアのブカレストに移りました。

そうするとブカレストには各国での革命を遂行するために、各国から派遣された連絡員が集まってくるわけですよね。一九五六年のソ連共産党第二〇回大会でコミンフォルムは廃止されました。その後、各国共産党の連絡機能を果たしたのがプラハの『平和と社会主義の諸問題』誌編集部です。同誌編集委員の肩書で一九五九年から五年間プラハに派遣されていた、米原昶《よねはらいたる》さん（元衆議院議員）。ロシア語通訳者で作家・エッセイストでもある米《よね》原万里《はらまり》さんのお父さんです。

彼女の小説などには、よく「志摩」という名前の登場人物が出てくるのですけど、あれはお父さんが日本共産党の連絡員として渡欧した際に使っていた偽名です。

池上　こういう二重構造、別立ての組織を作っておくことで、「ソ連は他国とは平和的に共存し、他国に革命を輸出することも体制転覆を図ることもない。世界各国の共産化を主導しているのは、あくまでコミンフォルムなのだ」という建て前を維持したわけですね。

佐藤　そう。こういう二重構造は今の日本共産党も得意としていて、共産党のウェブサイトに最近追加された記述には、共産党が他の野党との連合政権を組んだ際には天皇制に賛成するとの説明があります。党としては依然反対するけど、政権の一員としてはその限りではないという二重構造を使い分けるということですね。

これは普通に考えれば不誠実な態度以外の何物でもないはずなのですけど、これもさっきの弁証法的には正当化されてしまうんです。共産党が権力に一歩近づくためであれば、これほど重要な方針さえあやふやにすることを厭わないということですよね。

さて、話を一九五〇年に戻しましょうか。コミンフォルムはその当時、「恒久平和と人民民主主義のために」という機関紙を出していました。そして一九五〇年一月六日、その機関紙に『日本の情勢について』という論文を掲載し、ここで野坂参三らが考えている平和革命論は幻想であると厳しく批判しました。平和革命など非現実的だから武装革命、暴力革命をやれと尻を叩いたわけです。

この事件によって、日本共産党の内部にひどく捻れが生じ、党内が二つのグループに分断されました。一方は、コミンフォルムの指示は日本の実情を理解していないゆえの間違いだと主張する論文『「日本の情勢について」に関する所感』を六日後の一月一二日に発表して、コミンフォルムの指示には従わないという意思を示した徳田、野坂らその当時の主流派グループ。彼らは論文タイトルから「所感派」と呼ばれました。

それと対立したのが、「占領下の平和革命なんてたしかに幻想だ。コミンフォルムの指示に従うべきだ」と主張した宮本顕治や志賀義雄らのグループ。彼らは「国際派」と呼ばれました。

ところが所感派は、同一七日に中国共産党からも機関紙の「人民日報」社説を通じて平和革命路線を批判されたこともあって「所感」の取り消しを決定し、翌日一月一八日から行われた第一八回拡大中央委員会では百八十度の方針転換をして平和革命論の放棄を宣言してしまいました。

そして五月三日、マッカーサーは共産主義陣営による日本侵略のおそれがあるという理由で日本共産党の非合法化を示唆し、これに共産党は反発。五月三〇日に共産党が主導し皇居前広場（人民広場）に数万人の労働者・学生を集めたとされる集会では、警備にあたっていた占領軍との小競り合いから民主青年団東京都委員長ら八名が逮捕される「人民広場事件」が勃発しました。

これを受けてマッカーサーは六月六日、徳田球一ら共産党指導部二四人の公職追放と政治活動の禁止、さらに「アカハタ」の発行禁止を命じるレッドパージを断行。これにより共産党の活動は戦前と同様に地下化せざるをえなくなり、さらに徳田や野坂は中国に亡命し、北京に作った指導部「北京機関」から武装闘争を指示します。

所感派の影響のもと一九五一年二月に開催された第四回全国協議会（四全協）では、「敵の軍事基地の拠点の麻痺・粉砕」「軍事基地、軍需生産、輸送における多種多様な抵抗闘争」「意識的な中核自衛隊の結集」「自衛闘争の中からつくりだされる遊撃隊」「警察予備隊に対する工作」「警察に対する工作」などから成る軍事方針が提起され、続く同年一〇月の第五回全国協議会（五全協）でも、「日本の解放と民主的変革を、平和の手段によって達成しうると考えるのはまちがいである」とする「五一年綱領」と、「われわれは、武装の準備と行動を開始しなければならない」とする「軍事方針」を決定し、この方針に基づいて各地で破壊活動を行いました。

しかし、過激な破壊活動は世論から反発を受け、一九五三年には徳田球一が死去。勢いを失った所感派は国際派に歩み寄ります。

一方、宮本顕治ら「国際派」は日本国内に残り、所感派との合流に動きます。そして一九五五年の第六回全国協議会（六全協）で再統一し、党として武装闘争路線が放棄されることになります。宮本を中心とした国際派がいまなお共産党の主流派を形成しています。だから現在の共産党は徳田・野坂たちから分派した自分たちはこれまで暴力革命路線はとったことがないという立場です。

しかしこれは分裂に至るまでの経緯を見れば完全な作り話であることがわかります。武力闘争を命じたコミンフォルムの指導に抵抗したならばともかく、むしろ、コミンフォルムや中国共産党の批判を所感派より先に受け入れていたからこその「国際派」なのですから。

『日本の夜と霧』に描かれた五〇年分裂

佐藤　こうして共産党は所感派と国際派に分裂し、所感派は地下活動への移行を余儀なくされるのですが、この「五〇年分裂」前後の空気を見事に切り取り、今の若い人たちにも皮膚感覚で理解させてくれる『日本の夜と霧』（一九六〇年、大島渚《おおしまなぎさ》監督）という映画があります。あまりに政治性の強い内容に恐れをなした松竹が封切り四日で上映を中止してしまい、怒った大島監督が松竹を退社するきっかけになった作品としても有名で、二〇二一年五月現在はＡｍａｚｏｎのプライム・ビデオで三〇〇円で視聴できます。

あの映画は、制作当時の六〇年安保とその一〇年前の五〇年分裂の時代を行きつ戻りつする形式で物語が進んでいくのですが、劇中で「一〇年前」として描かれている時代の主要舞台になっているのが大学の寮。おそらく大島監督の出身である京大の吉田寮や、共同脚本を手掛けた石堂淑朗《いしどうとしろう》の出身校である東大の駒場寮の雰囲気でしょう。

その中にあって、渡辺文雄《わたなべふみお》や吉沢京夫《よしざわたかお》（舞台演出家）らが演じる学生グループは当初は武装革命を主張しており、理論を重視して学習会に精を出す佐藤慶《さとうけい》や戸浦六宏《とうらろっこう》たちが演じるグループを「日和見主義者」と小馬鹿にする日常が描かれる。ところがある時からこの勇ましい連中が急にアコーディオンを抱え、寮の中庭で女子学生たちとフォークダンスを踊る親睦活動ばかりやるようになり、佐藤や戸浦に「何でお前たちは一緒に踊らないのか？」と尋ねたりする。佐藤や戸浦は「これが革命か？」と反発するのだけど、これに吉沢は……。

池上 「はねっかえり」（笑）。

佐藤 そう。「お前たちは、はねっかえりだ。極左冒険主義だ」と批判する。

映画ではそこまではっきり描かれているわけではありませんが、吉沢らが豹変したのは、この間に党の指導部が徳田たち所感派から宮本たち国際派に入れ替わり、国際派が所感派の「武力革命・武装方針」を「誤りだった」として、今までの方針を否定したからです。

こういう激しい状況変化がある中で、吉沢はこれからの党員は世間の誰からも尊敬される人間でなければいけないということで、きちんと勉強して大学の教授になろうと考える。すると、それまでは武闘派の渡辺文雄と付き合っていた小山明子《こやまあきこ》が、やっぱり実家が金持ちで将来は大学の先生になりそうな吉沢京夫のほうがいいわ……と乗り換える。

池上 実にわかりやすいですよね。

佐藤 わかりやすいんです。一方で映画のもうひとつの時代設定、公開時の「現代」にあたる一九六〇年の安保闘争の時代になると、五〇年時点での旧所感派、国際派も皆が共産党という枠から離れられなくなっているのに対して、そうした枠組みそのものを否定する共産主義者同盟（ブント）の若者たちが絡んでくる。このブント活動家の青年を、晩年はすっかりタカ派文化人になってしまった津《つ》川《がわ》雅彦《まさひこ》が演じているのが皮肉かもしれませんね。

　こういう映画なので、あの五〇年分裂の空気を若い人にもなんとか理解してもらえるのではないかと思います。若者たちがみんな、ああいう議論をしていた時代があったということをね。

池上　ブントについては続刊でより詳しく話すことになると思いますが、簡単な説明はここでもしておいたほうがいいでしょうね。

　ブントとは、共産党の活動家の中でも、党の体質を官僚的で日和見的だと感じた全学連（＝「全日本学生自治会総連合」。日本の学生自治会の連合会組織）の学生たちが共産党を離れて一九五八年に結成した新左翼党派です。ブントはドイツ語で「同盟」を意味します。マルクスがドイツ出身だったこともあって、ドイツ語を使うと格好いいというイメージがあったんですね。彼らは『日本の夜と霧』でも描かれたように六〇年安保闘争で中心的な役割を担うのですが、岸内閣が日米安全保障条約を発効させた後の六〇年七月に、闘争の評価をめぐって内部対立が起こり、一旦解体します。

ブントにはこの「一次ブント」と、六六年に再び結成された「二次ブント」があるのですが、一次ブントで理論面の中核を担ったのが、後に経済学者となり、スタンフォード大学の名誉教授まで務めた青木昌彦《あおきまさひこ》です。今では政治評論家として有名な森田実《もりたみのる》、二〇一八年に入水自殺した保守派の評論家・西部邁《にしべすすむ》らもブントの中心メンバーでしたし、六〇年六月一五日の国会前デモで、機動隊との衝突の中で圧死した樺美智《かんばみち》子《こ》も、最初は共産党に入党し、後にブントに移り書記局員をしていた人です。

佐藤　二次ブントには、のち一九七〇年に日本航空の旅客機をハイジャックして北朝鮮に渡った「よど号ハイジャック事件」グループのリーダー・田《た》宮高麿《みやたかまろ》、あるいは一九七〇年代末から八〇年代にかけて、中東で「テルアビブ空港乱射事件」をはじめとする数々の武装闘争事件を起こした重信房子《しげのぶふさこ》などがいました。

新左翼の動きは大変興味深いので、次の本で改めて話しましょう。

毛沢東を模倣した「山村工作隊」

池上　それにしても、この「五〇年分裂」の時代に共産党が行った武装闘争は、現代の議会政党としての共産党のイメージしか知らない世代にとってはショッキングでしょうね。

徳田や野坂が作った北京機関は国内のメンバーに「山村《さんそん》工作隊[27]」や「中核自衛隊」など

の軍事組織を組織化するように指示し、それぞれに山にこもっての軍事訓練を積ませていた。あるいは中国共産党が毛沢東指揮のもと展開した「農村部でのゲリラ戦」に倣って、各地で列車を襲撃したり交番に火炎瓶を投げ込んだりするテロまで行いました。

佐藤　表紙に『栄養分析表』と書かれているタイプ打ちの雑誌も回し読みされました。中を開くと爆弾の作り方が書かれているんです。

池上　同じく爆弾の製作法を紹介した『球根栽培法』という本もありましたね。山村工作隊といえば、佐藤さんも対談した渡邉恒雄さんが共産党を除名になった後、読売新聞の記者になって挙げた初期の大スクープが、山村工作隊の奥多摩のアジトに単身乗り込んで危うく殺されそうになりながらリーダーの高史明《こうしめい》氏らへの独占インタビューを取ったことでした。渡邉さんはこのスクープで名を上げたことで本紙政治部に抜擢された。

佐藤　宗教学者の中沢新一《なかざわしんいち》さんのお父さんもやはり共産党のシンパでしたし、中沢さんの叔父（母親の弟）である歴史学者の網野善彦《あみのよしひこ》に至っては山村工作隊の指揮もしていましたからね。中沢さんの『僕の叔父さん　網野善彦』（集英社新書）には、山村工作隊の若者たちがどのような訓練をしていたかが詳しく書かれています。

27　山村工作隊：一九五二年半ばに日本共産党が山村地帯に〈遊撃隊〉をつくる目的で行った組織活動。

これを読むと、訓練に限らず当時の共産党が若者たちに出していた指示は基本的に武装闘争のためだったということがよくわかります。『日本の夜と霧』でも、登場人物たちは、「若者よ／体をきたえておけ／美しい心が／たくましい体に／からくも支えられる日が／いつかは来る／その日のために／体をきたえておけ／若者よ」（『若者よ』作詞・ぬやまひろし＝本名・西沢隆二）と劇中で何度も歌うでしょう？　身体を鍛えて革命に備えろというわけですよね。フォークダンスを踊っているだけのようで、でもこれを実践することで目指しているのはあくまで革命なんですよ。

池上　ところで山村工作隊などは明らかに、中国共産党がまず農村部に革命拠点をつくって都市を包囲した、毛沢東のあのやり方を日本風にアレンジしたつもりだったんでしょうね。

しかし日本の山奥の農村に若い連中が何人も移り住んできたところで当の地域住民たちは恐かったでしょうし、警戒させるだけだったでしょう。ひどく空回りしたことだろうと思います。

佐藤　でもこれ、「ナロードニキ運動」によく似てるんです。帝政ロシア時代末期の一八六〇〜七〇年代のロシアでは、都市に住む貴族たちの一部が自分たちの極端に豊かな生活は農民から搾取・収奪をした結果であると悔い改めるようになり、「ヴ・ナロード（人民の中へ〕」を合い言葉にして、農民たちの中に入りこんで彼らに革命思想を広めようとしました。でも、だいたいは農民から怪しがられ警察に突き出されて終わるんです。

そういう目に遭った貴族は屈折しますよね。「私はお前たち農民のためにやってるのになぜわかってくれないのか」という思いを抱え込む。

ここからニーチェのニヒリズムとも違うロシア特有のニヒリズムが生じてきます。ロシアのニヒリズムは、体制側にあるものや立身出世にかかわるものを激しく憎悪することに特徴があり、この思想のもとでは芸術なども農民からの収奪により成り立っているとして否定されます。

それと同時に大多数の国民・農民は受動的でバカなのだから変えようとしても変わらない。しかし権力者に対してはそれが誰であるかにかかわらず従順なのだから自分たちが権力を掌握しさえすればいいという発想にもなってくる。そしてこの発想はボリシェビズム、つまりレーニンの革命思想にも引き継がれています。

池上　日本でも、一九五〇年以降に登場した新左翼、つまり当時の共産党や社会党の路線に飽き足らず、より急進的・過激な手法による革命闘争を志向した若者たちのグループは、かなりの部分レーニン主義的な発想を内在化していますね。まだ覚醒《めざ》めていない大多数の人民の力に頼るのではなく、少数の「覚醒めた者」である我々がまず行動を始め、人民の蒙を啓き導いてやるのだというある種のエリート意識を強くもっている。ブントの「一点突破・全面展開論」などはその典型です。

佐藤　前衛思想というやつですね。ブントの「層としての学生運動論」がその典型です。これらの発想のベースはすべてレーニンが組織論について述べた一九〇二年の著作『なにをなすべきか？』にあり、当然ながら新左翼だけでなく日本共産党も影響を受けています。エリート主義的な発想が強くなることで、共産党は戦後間もない頃にはあった大衆的支持をすぐに失って、どんどん議席が取れなくなっていったんですよ。

共産党は「五〇年分裂」をどう総括したか

池上　問題は、「五〇年分裂」の後に共産党が踏み切った武力革命路線について、現在の共産党がどう総括しているか、ですが。

佐藤　これについては、共産党の「八十年党史」では次のように書かれています。

〈五一年十月、徳田・野坂分派と「臨中」（註＝臨時中央指導部）は、スターリンのつくった「日本共産党の当面の要求――新しい綱領」を国内で確認するために、「第五回全国協議会」（五全協）をひらき、「五一年文書」と武装闘争や武装組織づくりにいっそう本格的にふみだすあたらしい「軍事方針」を確認しました。
この方針による徳田・野坂分派の活動は、とくに、五一年末から五二年七月にかけて集中的にあらわれ、「中核自衛隊」と称する「人民自衛組織」や山村根拠地の建設を中心任務とした「山村工作隊」をつくったりしました。これらの活動に実際にひきこまれたのは、ごく一部の党員で、しかもどんな事態がおこっているかの真相は、これらの人びとにさえ知らされないままでした。〉（112頁）

池上　武装闘争は徳田球一や野坂参三による「分派」が起こした活動であり、宮本顕治やその後継者たち、つまり現在の共産党に連なる人々は関与していないどころかその当時起きていたことについてほとんど何も知らなかったと総括しているわけですね。

佐藤　まだ続きがありますよ。少し時代は下りますが、六〇年代後半に毛沢東が日本共産党に介入しようとしたことがあります。その時に共産党が取った対応について、「八十年党史」では次のように書いています。

〈党は、六七年四月二十九日の論文「極左日和見主義者の中傷と挑発」で、高度に発達した資本主義国日本での議会活動の役割を否定する反議会主義の立場、中国式「人民戦争」

論を日本に機械的に導入しようとする極左冒険主義のくわだてを徹底的に批判しました。〉（193頁）

こう書いてあるのですけど、一方で非常に面白いのは、共産党はこう言っておきながら「極左日和見主義者の中傷と挑発」なる論文そのものについては、ほとんどの人が読めないようにしてあることです。

かつてこの論文は、日本共産党の中央委員会出版局が出していた『日本共産党重要論文集』の第五巻（一九八八年初版刊行）に収録されていました。読んでみると、極左主義に対してたしかに反対してはいるのですけど、それと同時に平和革命論も批判していて、「支配階級の出方に応じた革命の移行形態を正しく考慮にいれ、敵の出方によっては暴力革命を行うということです」と書いてあるんです。

池上　なるほど。たしかに「敵の出方」と言っている。

佐藤　「敵の出方」とは「革命が平和的か暴力的かは敵の出方による」という方針のことです。これだけ読むと、現在の共産党は武装闘争を放棄していないとも解釈できる。ですから共産党はこの論文を、収録した唯一の本である『重要論文集』を久しく絶版にすることで、人目に触れさせないようにしているんです。しかしこの論文の存在そのものは抹消できません。
共産党が完全に封印している本は他にもあります。たとえば、共産党の前委員長である不破哲三《ふわてつぞう》[28]が一九六八年に出した『現代政治と科学的社会主義』(新日本出版社)。これも古本市場でもなかなか手に入らない本ですが、ここで不破氏は平和革命論を「日和見主義」とこき下ろしています。

〈議会制度をはじめわが国のブルジョア民主主義の諸制度がすでに不動のものとして「定着」し、これを破壊するいかなる反動的暴挙ももはやありえないという、独断的な仮定のもとに、「平和革命」の道を唯一のものとして絶対化する「平和革命必然論」もまた、米日支配層の反動的な攻撃にたいする労働者階級と人民の警戒心を失わせる日和見主義的「楽観主義」の議論であり、解放闘争の方法を誤らせるものなのである〉(244頁)
〈かりに反動勢力が革命政権にたいする「反乱」の挙に出ても、この「反乱」はかならず平和的手段で対処しうる規模のものにとどまるにちがいない、という仮定である。これは

28 不破哲三(一九三〇—):政治家。本名は上田建二郎。早くから兄・耕一郎とともに宮本顕治路線の理論的支柱であり、また党の顔として共産党の躍進に尽力した。現在は日本共産党常任幹部会委員、党付属社会科学研究所所長。

不破哲三

敵が暴力を行使する現実の危険を認めながら、こちらは平和的手段だけにあらかじめ手をしばってしまうという、きわめてばかげた立場にみちびくものである。〉

問題は、共産党がこれを今もって撤回していないということです。撤回する代わりにあの人たちがしたことといえば、本を絶版や品切れにし、人目に触れないようにしただけです。こういうところに、暴力革命政党としての「しっぽ」が現れてしまっています。

池上　たしかに、単に「なかったこと」で済ますには重大すぎる内容です。現在の共産党が暴力革命路線を完全に放棄しているならば、これらは撤回すべき論文のはずですが。

佐藤　最近の不破氏がどんなことを言っているかというと『現代政治と科学的社会主義』を書いたのと同じ人とは思えないですよ。「社会主義と共産主義は実は同じものだ。共産主義が社会主義のより高次の段階だというのは誤りだ」というんです。これが最近の科学的研究の成果であると。

池上　これまでの常識を覆すような主張ですね。通常は、社会主義は共産主義に至るまでの過渡期的段階であるという理解をすると思うのですが。

佐藤　ところが、不破氏が二〇〇九年に出した一般向けの新書『マルクスは生きている』（平凡社新書）にはこう書いてあります。

〈以前には、世界でも日本でも、未来社会の異なる発展段階を表す言葉として、この二つの言葉が区別して使われた時期が、かなり長くありました。「社会主義」は未来社会のより低い段階、「共産主義」は高度に発展した段階、ということです。〉（156頁）

〈マルクスの未来社会論には、もともと、二段階発展論はないのですから、この語法にこだわると、かんじんのマルクスの未来社会論に、混乱をもちこむことになります。〉（156頁）

こう書くことで彼が何を言いたいかというと、要は「我々はもう共産党ではなく社会党なのだ」ということですよ。

池上　そうなのでしょうね。党勢の衰えた社民党＝社会党に代わって、彼らがかつて唱えた「平和革命路線」を自分たちの物にしたいのでしょうか。

佐藤　しかし今見てきたように共産党という党そのものは、根っこの部分では依然として暴力革命の旗を降ろしていません。だから党の公式の立場とすさまじい捻れが生じているんです。

池上 さて、この章では共産党の五〇年分裂まで話してきました。**多種多様な人材が揃い独自の憲法草案を作成するなど積極的な動きを示し、国民からも支持を得ていた社会党と共産党が戦後まもない時期の左派、とりわけ共産党が占領軍内部の路線対立やソ連＝コミンフォルムの意向に悲しくも振り回され、主体性を取り戻せないままに暴発を余儀なくさせられた、**という点に集約できそうですね。

「暴力革命のリアリズム」は、当時の国際政治のリアリズムを通じて初めて理解できます。時代を代表する左派知識人たちが何を悩み、どのような未来を想像したのか。そして、現在の共産党が抱える捻れや矛盾はなぜ生まれたのか。左派の思考の原点が、占領統治下の日本で育まれていたのです。

第三章
社会党の拡大・分裂と「スターリン批判」の衝撃
（一九五一～一九五九年）

……激変する国際情勢。離合集散を繰り返す左派。こうして55年体制が完成した。

《第三章に関する年表》

一九五一年	一月一九日	社会党大会、平和三原則と再軍備反対を決議（平和四原則）。
	二月二三日	共産党四全協、「軍事方針について」採択。
	一〇月一六日	共産党五全協、新綱領（民族民主革命方針）を採択。
	一〇月二四日	社会党臨時大会、両条約承認の賛否で左右両派に分裂。
一九五二年	五月一日	血のメーデー事件。デモ隊、皇居前広場で警官隊と激突。 「アカハタ」復刊。
	七月二一日	破防法・公安調査庁設置法各公布・施行。
一九五五年	一月一日	共産党、「アカハタ」で極左冒険主義を自己批判。
	七月二七日	共産党、六全協（党内分裂収拾）。
	一〇月一三日	社会党統一大会（委員長：鈴木茂三郎）。
一九五六年	二月九日	ソ連共産党第二〇回大会でフルシチョフによるスターリン批判。
	一〇月二三日	ハンガリー動乱が起こる。
一九五七年	一月一六日	労農党解党大会、社会党との統一決定。
	一月一七日	社会党大会、左派が主導権掌握。

一九五九年	一月一九日	三井鉱山、労組に六〇〇〇人整理の企業再建案を提示。
	三月九日	浅沼稲次郎社会党訪中団長、北京で「米帝国主義は日中両国人民共同の敵」と演説。
	三月二八日	安保改定阻止国民会議結成。
	四月一五日	安保改定阻止第一次統一行動。
	七月一九日	西尾末広、安保阻止国民会議から共産党しめ出し主張。
	八月二八日	三井鉱山、労組に四五八〇人整理の第二次案を提示。
	九月一二日	社会党大会、西尾処分問題で混乱。
	一〇月一三日	三鉱連、反復スト闘争に突入。
	一〇月二五日	西尾派離党三三議員、社会クラブ結成。
	一一月二六日	社会党河上派、民社クラブ結成。
	一一月二七日	安保阻止第八次統一行動のデモ隊二万人、国会構内に入る。
	一一月三〇日	社会クラブ・民社クラブを中心に民主社会主義新党準備会結成。
	一二月一一日	会社側、指名解雇通告。三池争議始まる。

社会党の国家観が反映された「平和四原則」

池上　第二章で見てきたように、日本共産党は一九四七年二月の「二・一ゼネスト」中止以降に大衆的な支持を失うようになり、さらに一九五〇年にはコミンフォルムから平和革命路線を批判されたことをきっかけに無謀な武力闘争に走り分裂してしまいました。

そうしたなか、中国共産党は一九五〇年までには中国本土全土を制圧し、さらに一九五〇年五月には国民党政府（中華民国）の逃亡先である台湾への侵攻を計画し、中国大陸の台湾対岸に人民解放軍を動員します。そして、一九五〇年六月には朝鮮戦争が勃発します。隣の朝鮮半島で戦火が上がり、さらに台湾をめぐる戦争がいつ起きても不思議でないという状況にあって、日本は一九五二年四月、吉田茂首相のもとサンフランシスコ講和条約が発効して独立します。しかし、この講和条約はアメリカとの単独講和を結ぶものであり、第二次世界大戦当時の交戦国であったソ連や中華民国との講和は先送りするものでした。これを結ぶことによって、日本はアメリカを盟主とする西側諸国の一員として、東西冷戦に否応なく引き込まれていくことになります。

第三章では、そうした東西冷戦の時代を背景として、社会党が共産党とは対照的に躍進していく過程を中心に見ていくことになりそうですね。両者の成功と失敗の背景は何だったのか、念頭に置きながら話していきましょう。

佐藤　前章でも少し触れましたが、共産党は一九五一年二月の四全協と同年一〇月の五全協で軍事方針への転換を固め、アメリカから日本を解放するための民族民主革命、武装闘争に突き進みます。一方、社会党はそれとは対照的に、東西冷戦が激化したこの時期から明確に平和革命路線に突き進んでいきます。暴力・武力には決して訴えない方法での革命を実現するという方向性にどんどん転換していった。

この頃の向坂逸郎や山川均は、東アジアで戦争が近づいており、日本もそれに巻き込まれる可能性が高いという強い危機感をもっていました。だから、朝鮮戦争開戦半年前に行われた五〇年一月の党大会では、連合国との講和を結ぶうえで「全面講和、中立堅持、軍事基地反対」から成る「平和三原則」を党の基本方針にすると決定し、さらに翌五一年にはこれに「再軍備反対」の項目も加えて「平和四原則」を確立したわけです。

池上　そうした危機感がまったく大げさではないほどに、当時の東アジア情勢は不安定でしたからね。結果的に朝鮮戦争の開戦によって台湾への侵攻はされませんでしたが、仮に中国が台湾に侵攻していれば、アメリカ軍が常駐している日本が戦争に巻き込まれなかったとは思えません。

佐藤　ただ社会党も、五一年九月にサンフランシスコ講和条約の締結が発表され、アメリカとの単独講和が行われることが決まると、左右での対立が深まっていきました。左派はソ連・中国との国交正常化ができないような講和条約には反対であると主張したのに対して、右派は現在行われている朝鮮戦争は共産主義陣営による侵略戦争であるとみなし、いまは資本主義陣営との条約締結を優先する必要があると主張した。それで結局、右派社会党と左派社会党は外交問題で分裂するわけです。

池上 分裂した両党派が「日本社会党」という党名を名乗って譲らなかったので、「右派社会党」と「左派社会党」という便宜的な呼び名で区別したわけですね。

佐藤 ただね、池上さん。政党が外交問題で分裂するなんてこと、今の日本の政治でありえますか?

池上 ありえないですね。考えてみるとすごいことです。

佐藤 この時の社会党は、日本が今後どういう道を進んでいくべきで、将来的にどういう国になるべきなのか、という外交・国家路線をめぐって議論し、分裂していた。そういう議論ができるくらい当時の野党のレベルは高かった。

池上 **左右どちらの陣営にもそれなりの国家観があったというわけですね。ただそれは野党にそうさせるくらい世論も真剣に平和を願っていたということの裏返しだとも思います。**一九四五年にようやく戦争が終わり、平和の尊さを身に染みて感じ、嚙みしめていたところでまた隣の国で戦争なんてやってられない。絶対に巻き込まれてたまるかという世論があった。

佐藤　それと同時に私は、戦争に加わらないと民族が破滅するなんていうのは大嘘だと、国民が皮膚感覚で知ってしまったのも大きかったと思います。先の戦争では日本民族全体が生きるか死ぬかの一大決戦だと教えられていたのに、結果的に負けても民族は滅亡しないどころかむしろ自由にものを言えるようになった。そんな、ある意味では「無意味」なものでしかない戦争に関わるべき理由を国民は見いだせなかった。

あとそれに加うるに、一九五〇年一月にディーン・アチソン米国務長官が行った演説も重要です。

今ではすっかり忘れられてしまっているのですが、この時アチソンは、共産主義の脅威に対してアラスカ州のアリューシャン列島、日本列島、琉球弧（琉球諸島）、フィリピン諸島、これらを結ぶ線より東側に対する攻撃にはアメリカは断固反撃すると演説した。

つまりここで言われているアメリカの防衛対象には朝鮮半島と台湾は入っていなかった。だからアチソンラインから判断すれば、アメリカは台湾が中国に併合されることはすでに諦めているし、朝鮮半島が共産化するのもやむを得ないと判断していた。一九五〇年代のアメリカはこれくらいの感覚だったということです。

池上　そうですね。だから金日成はこれを聞いて、「ということは三十八度線を南下してもアメリカは介入してこないのだな」と思い、ある意味では「安心して」侵攻した。

佐藤　そう。だからこれはアメリカのエラーでもあるわけですよね。アチソン演説がなければ朝鮮戦争は起きなかったかもしれない。あれが完全にシグナルになってしまったわけですから。

ちょっと話を現代に戻すと、トランプ前大統領が自分の任期中にやろうとしていた外交政策は「新アチソンライン」ですね。すなわち、アチソンが列挙したアリューシャン列島、日本列島、琉球弧、フィリピンに台湾を新たに加えてアメリカの防衛線として示した一方で、朝鮮半島の安全保障に関しては、アメリカは当事者である北朝鮮と韓国に任せ、自分たちは身を引くという意思を鮮明にした。

トランプが行ったこの「新アチソンライン」は、意外とアメリカ外交のトレンドにしっかり合致したものでもあって、現在のバイデン政権も完全にもとに戻すことはできないと思います。

「血のメーデー事件」と朝鮮ビューローの謎

池上　一九五〇年六月二五日に開戦した朝鮮戦争は一九五三年まで続くのですが、日本ではその間の一九五二年五月一日に「血のメーデー事件」が起きています。

サンフランシスコ講和条約の発効（五二年四月二八日）により日本の独立が認められて初めて開催されたメーデーで、デモ隊と警察部隊とが衝突し、デモ隊側は死者一名、重軽傷者約二〇〇名（主催者発表では死者二名、重軽傷者六三八名）、警察側は負傷者八三二名（うち重傷者七一名）を出す惨事となりました。デモ隊からは一二三二名が逮捕され、うち二六一名が騒擾罪を適用され起訴されています。

佐藤　この時の共産党は五〇年分裂を経て組織がガタガタでしたからね。組織が盤石で統制がとれていれば、デモで暴発などしません。

池上　さらにこの頃のメーデーは当時「人民広場」と呼ばれていた皇居前広場でやっていましたからね。「敵」が目の前にいるような状況で参加者が必要以上に熱くなってしまった面もあった。この年以降、メーデーの会場は代々木公園へと変更され、本来の労働者の祭典という色彩が年々強まっていくのですが、人民広場で開かれていたこの五二年までのメーデーは、武力革命戦争の前哨戦のような性格を帯びてしまった。

佐藤　血のメーデー事件では暴徒化したデモ隊に多くの朝鮮人が加わっていたことで知られていますが、朝鮮戦争開戦前後から、日本国内では共産党の武装組織である中核自衛隊が俄然活発に動き始め、六月二四日には、国連軍への支援物資を載せた列車が編成されていた国鉄吹田操練場（大阪府吹田市）が襲撃される「吹田事件」、七月七日には名古屋市大須で警察署と米軍施設が襲われる「大須事件」などが中核自衛隊によって起こされています。そしてこれらの事件で中心を担っていたのが共産党の朝鮮ビューローであったと言われています。

日本にある基地から朝鮮半島に向けて出撃してくる米軍相手に戦っている北朝鮮から見れば、日本は米軍の後方基地にほかなりませんでした。だからこそ日本にいる共産党の朝鮮ビューローたちにとって、日本国内でこれらの騒擾事件を起こすことは祖国防衛の手段であり、戦争そのものだったはずです。

だから日本共産党の中にあった朝鮮ビューローは朝鮮戦争中に日本で起きた騒擾事件に関して相当に大きな役割を果たしているのですが、この朝鮮ビューローというのは近代史の中でもかなり謎の多い存在ですね。

ただひとり金天海については、宮崎学《みやざきまなぶ》さんのノンフィクション『不逞者』（幻冬舎アウトロー文庫）の中で、戦後の代表的な愚連隊の首領・万年東一《まんねんとういち》と並ぶ主要登場人物として詳しく書かれているのですけど、朝鮮ビューローが共産党において果たした役割についてはよくわかっていません。

池上　前章でも佐藤さんが言ったように、この時代の日本共産党はインターナショナルな組織で在日朝鮮人でも党員になれましたからね。

佐藤　ええ。一九六〇年代の初め、金日成が在日朝鮮人に向けて、在日同胞は朝鮮民主主義人民共和国の公民であると宣言したことで彼らが一斉に朝鮮労働党に移籍するまでは、朝鮮人共産主義者は日本共産党に所属していました。

しかも日本共産党員でありながらその直接の統制に服するわけでもなく、金天海をトップとした朝鮮ビューローという別の組織の所属だった。これが大変に謎めいているんですよ。

公安調査庁（公調）はこのあたりの事実関係についてもかなり調べてはいて、彼らが作成した資料の一部は国会図書館に行けば閲覧もできます。公調という役所は共産党対策として作られた役所だけに、朝鮮戦争開戦後は共産党の内部組織である朝鮮ビューローの動きもウォッチする必要があったからです。だからあの役所は今でも北朝鮮に詳しいのですね。

ただ、公調作成の資料というやつはなかなか面倒で、彼らは自分たちで作った資料の存在感を示すために国会図書館に一部だけ納入して、あとはすべて役所にしまい込んでしまうんです。時々古本屋に流れてくることもあるのですが……。

あと朝鮮ビューローとの関係でいえば、赤旗の元編集局長で、参議院議員を三期務めた吉岡吉典《よしおかよしのり》さん。彼は所感派の生き残りなのですが、実は私は彼とは結構親しい間柄だったんです。

池上　そうなんですか？　それは初めて聞きました。

佐藤　吉岡さんは二〇〇九年にソウルで行われた三・一独立運動九〇周年記念のシンポジウムで講演した後の夕食会で心筋梗塞に倒れ、そのまま韓国で客死してしまったのですが、生前はよく一緒に飲んで昔の共産党のことを教えてもらっていました。

「所感派が主流派だった頃の共産党はどんな感じだったんですか？」と聞いたときは、「地下の党組織から機関銃の構造図が送られてきて、『このとおりに（部品を集めて）組み立てろ』という指示が出ていたけど自分はサボタージュしていた」と言っていましたね。

そういう人なのでこの朝鮮ビューローの問題についても、どう捉えるべきなのか彼に尋ねてみたことがあるのです。でもこれに、「それは深刻な問題になるからな……。やっぱりこれは朝鮮の人たち自身がまず総括するべきで、日本の共産党はその後をついていくことしかできないよね……」としみじみ語っていたのが印象的でした。

「社会党支持者」増加の背景

佐藤　話は前後しますが、五二年に血のメーデー事件では皇居前で警官隊とデモ隊が衝突し、警官が銃を撃って死人まで出た。さらに吹田事件や大須事件も起きるに至り、政府は

「こんな騒擾事件をいくつも起こされてはかなわない」ということで、同年に破壊活動防止法が制定された。さらに破防法に基づき、「暴力主義的破壊活動」を行う団体の活動を調査する機関として公安調査庁が創設されるという流れです。

でもここで不思議なのが、占領軍がこの仕事を警察に任せず公安調査庁という別個の役所をわざわざ作ったことです。この真相はいまだに謎なのですけど、私は、占領軍は本質的に日本の警察を信用していなかったのだと思うんですよ。

池上　その可能性はありますね。公安調査庁というのはアメリカとの関係が非常に深い役所で、いまだにワシントンに出向ポストも持っていて、CIA（アメリカ中央情報局）やMI6（イギリス秘密情報部）のカウンターパート的な役割を果たしている。前章でも触れたGHQの参謀第二部、「G2」の流れをくむ役所と言えるでしょうね。

佐藤　なので日本が独立を果たした後も、アメリカが日本国内から直接、正確な情報を得られる機関として公安調査庁を作っておいたんじゃないかと、ちょっと穿った見方をしているんですよ。

池上　歴代の公安調査庁長官は全員検事の出身ですしね。その点でも警察への不信感の強い組織だとは言えるんじゃないでしょうか。

佐藤　公安調査庁の本体にあたる内部部局は調査第一部と調査第二部、総務部という三つの部署に分かれていて、一部が国内の調査で二部が海外の調査、総務部が予算の管理などを担当しているんですが、第一部長は常に警察の出身者が就くのに対して、第二部長はキャリアの時もあればノンキャリアの時もあるけれど、いずれにしても公安調査庁のプロパーが就くのが慣例です。

そしてこの三部署の部長の上に次長、つまり長官に次ぐナンバー2のポストがあるのですけど、昨年一〇月にこの次長に就任した横尾洋一氏は、公調の歴史上初めてのプロパーです。この次長とさきほどの三つの部長が指定職、つまり民間企業で言うところの役員に当たるポストなのですが、公安調査庁のような外局（法務省の外局）で、指定職が四人もいるというのは、けっこう珍しいパターンです。

とにかく不思議な役所ですよね。予算もきちんとつけられているし、その割に逮捕権はない。でもそれが逆にいいんですよ。逮捕権を持ってしまうと、最後はしょっぴくことができるしそれが目的化もするので、どうしても情報工作の質の面では甘くなるんです。その点、公安調査庁は逮捕権を持たない分、監視する組織や団体の内部に協力者をつくってその人を通じて情報を得る。こういう仕事ですから、今の共産党の中にも協力者はけっこういると思いますよ。意外と幹部にいたりもするかもしれませんね。

いずれにしても、そういう役所まで作られる状況となり共産党はいよいよ進退窮まっていくわけですが、その中で社会党、特に左派社会党が急激に勢いを伸ばせるだけの状況ができあがっていきます。要は**共産党が暴力的な路線に走ったことで一般の国民から遊離してしまい、それまでは共産党に惹かれていた人たちが一気に社会党支持者になっていった。**

池上　特に当時は、マルクス主義的な考え方が今よりもずっと知識人や学生の間で人気がありましたからね。旧帝大や名門私立大学の経済学部ではみんなマル経（マルクス経済学）を学んでいた。

佐藤　むしろマルクス経済学を教えてくれる人気教授のゼミに入れない、出来の悪い学生だけが近経（近代経済学）をやるという感じでしたよね。

池上　そういう土壌が元々あったので、左派ではあっても共産党の武装闘争にはついていけなかった層の目には、マルクスの考え方に基づく平和革命を目指す社会党左派はとても魅力的に映った。それがやっぱり社会党左派が伸びた最大の要因ですよね。

社会党の勢いに対抗した「五五年体制」

佐藤　そして一九五五年。共産党は元日の「アカハタ」で極左冒険主義を自己批判し、前章でも触れたように分裂していた「所感派」と「国際派」が国際派の主導権のもとに再統一の方向へ動き出します。そして七月の第六回全国協議会（六全協）で武装革命路線の放棄を決議。さらに志賀義雄、宮本顕治ら旧国際派が党内の主導権を確立する一方で、旧所感派の野坂を第一書記（五八年に議長）に就けることで党内の分裂状態を収拾します。

その一方で、サンフランシスコ講和条約への賛否を巡って左右に分裂していた社会党は、この年の一〇月に再統一を果たします。

池上　この統一は、当時の両方の社会党の勢いがそれほど強かったがゆえですね。なにしろ選挙があるたびに左派社会党だけでなく、右派社会党も相当に議席を伸ばしていたので、気がつけば、合併後の選挙で国会の過半数を獲ることも夢でなくなっていた。

ただ両派とも再統一には合意したものの、新党の性格をどうするかを巡っては大いに揉めました。左派は「社会党は階級政党だ」と主張したのに対して、右派は「いや、社会党は大衆政党だ」と譲らなかった。結局両方が妥協して、「階級的大衆政党」というかなり意味不明な性格の党が出来上がりました。

佐藤　このときは党名でも揉めたんです。右派は「社会民主党」にしたかった。どう落とし所を見つけたかというと、日本名では左派の要求通り「日本社会党」だけど、英語名は「Social Democratic Party of Japan（ＳＤＰＪ）」ということにした。

池上　そう。英語名は「日本社会民主党」だったんですよね。だから英労働党やドイツの社民党、フランスの社会党など世界各国の社会民主主義政党が集まる「社会主義インターナショナル」にもいつも代表を派遣していた（ドイツ社民党は二〇一二年に脱退）。

日本では「三井住友銀行」と呼ばれている銀行の英語名が「Sumitomo Mitsui Banking Corporation（SMBC）なのと同じですね。あれも三井と住友が合併するときにどちらの行名を先に持ってくるかで揉めに揉めた挙げ句に日本名と英語名を分けることにして落ち着いた。

佐藤　はっきりいって誤魔化し以外の何物でもないですけどね。合併時にできた綱領も、左右の両主張を混ぜ合わせたかなり訳の分からないものでした。とはいえ、そうやって再統一を果たした社会党でも主導権を握っていたのは左派でした。

池上　だけど、ここで**今度は財界が、このままでは社会主義革命を起こされかねないという危機感から自由党と民主党に一緒になることを必死で働きかけ、これにより自由民主党が結成されました。いわゆる五五年体制の完成です。**

佐藤　保守陣営がそういう選択を迫られるほどに社会党が脅威になっていた。しかも国政選挙の結果とは別にマスメディア、それから知識人の世界での支持率で考えれば、当時の自民党と社会党の実力は伯仲どころか七対三ぐらいの割合で社会党のほうが強かった。それぐらい社会党の影響力は強かった。

三池闘争で活躍した向坂逸郎

佐藤　さらに当時の左派社会党の実力が発揮されたのが、当時日本のエネルギー政策を石炭中心から石油中心に転換しなきゃいけないという状況で、三井三池炭鉱の人員整理が行われ、これに抗議した労働組合が一九五三年に一一三日間のストに突入したことでした。

池上　三池闘争はこの一九五三年ストと、その六年後の一九五九年から翌一九六〇年にかけて行われた無期限ストがあり、一般的には五九年のほうが有名ですが、そのどちらについても左派社会党の存在感が大きかったようですね。

佐藤　三池闘争に対して、もはや体力を失い、極左路線により大衆の支持を失っていた共産党はほとんど関与できませんでした。

一方で当時の社会党の最有力派閥「社会主義協会[29]」の代表となっていた向坂逸郎は、五三年ストよりずっと早い一九四七年頃から自分が訳した『資本論』を携えて三池を訪れ、炭鉱労働者たちと資本論について学び合う「向坂教室」と呼ばれる寺子屋のような場所を作って闘争の理論的指導者として活躍しました。当時の向坂は『資本論』でかなりの印税を稼いでいたはずですが、それすらも全部寺子屋につぎ込んだのです。これは保守勢力にとっては相当脅威に感じられたでしょう。

それと同時に、当時の日本最大のナショナルセンターであった日本労働組合総評議会（総評）が左傾化していきます。

池上　「ナショナルセンター」と言われてもわからない人がいると思うのでこれも解説しておきましょう。日本の労働組合は一般に、企業別組合、産業別組合、ナショナルセンターから成る三層構造になっています。

ピラミッドの一番下にいる「企業別組合」は、トヨタ自動車グループで働く労働者約三五万人が加盟する「全トヨタ労働組合連合会」や東京電力の従業員約三万二〇〇〇人が加盟する「東京電力労働組合」などであり、「全トヨタ労組」は、同業の「全日産・一般業種労働組合連合会」「全国本田労働組合連合会」などと一緒に産業別組合の「自動車総連」を形成しています。また電力業界は電力業界で、東京電力労組や関西電力労組が共同で戴く上部団体「電力総連」に加盟しています。

さらにこうした「自動車総連」や「電力総連」などの産業別組合が、生保労連（全国生命保険労働組合連合会）や「日教組」（日本教職員組合）など他業界の組合と一緒に戴くナショナルセンターと呼ばれる巨大な労働組合もあり、現在は「連合」（日本労働組合総連合会）が

29　社会主義協会：日本社会党において、労農派マルクス主義を掲げて結成された理論派の集団。

最大のナショナルセンターです。

労働組合にこのような産業別組合やナショナルセンターがあるのは、会社や業界、業種の垣根を越えてより多くの労働者を組織化したほうが使用者（会社・業界）に対する交渉力が強まり、より労働者に有利な雇用条件を引き出せると考えられているからです。

そして、ナショナルセンターはすべての労働者を代表する立場から、政府に対して政治的な要求をしたり特定の政党を組織的に支援して国会に労働者の代表を送り出したりする機能ももっています。連合も立憲民主党を第一支持政党とし、選挙の時は立憲民主党から出ている候補の応援をしたり、あるいはそれぞれの組合活動で実績のある人を同党の候補として擁立したりすることがあります。

佐藤さんが言う、当時の日本最大のナショナルセンターであった総評が左傾化したというのは、総評が労使協調路線、つまり経営側にとって脅威とならない「ぬるい」要求しかしていなかったのに、ある時期からその姿勢を良しとしなくなって、経営側により厳しい要求を突きつけるようになった、という意味ですね？

佐藤　そうです。もともと日本には総評が発足する以前の終戦翌年の一九四六年に「日本労働組合総同盟（総同盟）」というナショナルセンターが発足しており、これは共産党の影響力が非常に強いナショナルセンターでした。しかし総同盟の存在は反共路線に転じた

GHQに警戒され、GHQは労働運動全体を、上から統制しやすい労使協調路線に誘導しようとして総評を発足させたという経緯があります。要は右寄りの、政府にとって都合のいい御用組合の連合体を作ろうとしたわけです。

ところが共産党の影響力が弱まり社会党の力が強まったこの時期、総同盟に加盟していた左派系組合が一斉に総評に流れるということがありました。その結果、総評の「御用」体質も一変してしまったわけです。

しかし社会党左派は、こうした複雑な状態にあった総評を地道にまとめあげることに成功しています。

離合集散を繰り返す野党と労働組合

佐藤　一方でこれは逆説的なのですが、社会党がそのように左派主導でまとめあげられていく流れの中で、本来は右翼社会民主主義者で共産主義が大嫌いなはずの浅沼稲次郎《あさぬまいねじろう》書記長（翌年委員長に就任）が中国に渡り、周恩来と会談する、ということがありました。そしてそこで行った「アメリカ帝国主義は日中人民共同の敵」という演説が世界に報じられたことで、日本社会党は中国共産党とも手を携えることができる政党である、との評価が定着しました。

池上　歴史の皮肉ですよね。浅沼自身は国家社会主義を信奉するゴリゴリの右派だったのに、周恩来との会談でつい口走ったその演説のせいで、その一年半後に山口二矢《やまぐちおとや》に刺殺されるんですから。

佐藤　あれは今から考えるとその場の勢いだったんだろうと思いますね。中国で接待してもらったせいで機嫌が良くなって、ついリップサービスのようなことを言ってしまった。

池上　きっとそうでしょう。ただ、浅沼をそういう非業の死に導いた遠因、つまりもともとは右翼的なナショナルセンターだった総評が、いつの間にか社会党に流れ左傾化した現象は、もしかしたら労働運動の必然なのかもしれませんね。

たとえばメディアの世界では、終戦直後の一九四六年に日本新聞通信労働組合（後に日本新聞通信放送労働組合と改称。通称「新聞単一」）という労働組合が結成されています。これは新聞社や通信社の労働者に加えて、当時まだＮＨＫしかなかった放送局の労働者もひとまとめに組織した、当時の日本では全日本海員組合に次いで規模の大きい産業別単一労組でした。

この組合は、読売新聞社従業員組合が正力松太郎《しょうりきまつたろう》社長以下の役員たちの戦争責任を追及して退陣を求めた読売争議でも組合を支援していたのですが、その時にＮＨＫ支部の組合員たちはラジオ――当時はまだテレビがなかったので――を停波するために埼玉県川口市にあった放送所を占拠してしまったんです。これはいくらなんでもやりすぎじゃないか、ということでこれをきっかけに新聞社の労働組合が一斉に新聞単一から脱退し、一九五〇年に日本新聞労働組合連合（新聞労連）を結成するわけです。

だから新聞労連という組織はもともとは過激な運動方針を嫌って作られた右派的な労働組合だったはずなのですが、それが時代を追うごとにどんどん左傾化して、今では日本でも最も左派的な主張をする産別労組になっています。民放労連もそうだし、ＮＨＫの企業別労組である日本放送労働組合（日放労）も本来は第二組合、つまり共産党の影響を排除し労使協調路線で行くための保守的な組合としてスタートしたはずが、すっかり左傾化してしまった。

もっとも総評の場合は、そういう左傾化の流れに反発した右派の人たちが嫌になって飛び出し、一九六四年に新たなナショナルセンターとして全日本労働総同盟（同盟）を結成しています。再統一された社会党で再び左右の路線対立が始まり、旧右派社会党系の西尾末広や片山哲らが離反して一九六〇年に民社党を結成したのも基本的にはこれと同じ構図ですね。

でも、それがさらに時間が経つと、やっぱり労働組合は一つの大きな塊にならないと力にならないという理由で総評と同盟が合併して日本労働組合総連合会（連合）になったり、政治の世界でも民社党や社民党に離合集散していた勢力が民主党というひとつの政党になろうとしたりする。戦後の野党、労働運動の動きを見ると、常にこの分裂と統合の繰り返しが起きていますよね。

民社党とは何だったのか

池上　ところで、いま話に出た民社党（民主社会党）についてもちょっと振り返っておきたいですね。

民社党は、第二章でも言及した西尾末広や片山哲が、一九六〇年一月に当時の社会党にいた最右派のグループを引き連れて結成し、一九九四年まで存在していた右派社会民主主義政党です。この党はとても不思議な存在ですね。「民主社会主義」を標榜して福祉国家建設を目標としながら、共産主義を激しく敵視し、日米安保条約の強化を求めるなど自民党以上にタカ派的な面があった。そうかと思うと憲法九条の改定には一貫して反対していました。

佐藤　社会党からスタートした社会民主主義政党でありながら、尊王を掲げて国体思想などと結びつきました。

だから親米派の論客として知られた田久保《たくぼ》忠衛《ただえ》さんは民社党の有力なシンパでしたし、

産経新聞社の元社長の住田良能《すみだながよし》さん、あるいは拉致被害者を「救う会」（北朝鮮に拉致された日本人を救出するための全国協議会）元事務局長の荒木和博《あらきかずひろ》さん、拓殖大学日本文化研究所所長だった遠藤浩一《えんどうこういち》さんなどはいずれも民主社会主義青年同盟（民社青同）の出身です。日本会議などの保守団体の母体の一つでもあります。

池上　彼らの場合、自民党のリベラル派よりもよほど言っていることが右翼的ですからね。ドイツの社会民主党のように、名前通り社会民主主義を柱にした政党として冷戦後も生き残りをはかることも可能だったと思えるのですけど、なぜかそういう特殊な政党になった。

私の印象としては、民社党があったがゆえに、社会党が社民党に看板を替えてからも「社会民主党」とは堂々と名乗れないような雰囲気があったような気がするのですが。

佐藤　ありましたね。「社民党？　民社党じゃないの？」と言われてしまう。彼らの労働運動の理念や理論を体系的にまとめた著作が、実は一セットだけあるんですよ。文藝春秋から出た『大系民主社会主義』という全六巻の本で、イギリス労働党の研究で知られる社会思想家の関嘉彦《せきよしひこ》などが執筆しています。

池上　そうだ。関嘉彦があの党の理論的な柱でしたね。

佐藤　民社党が社会党を飛び出したのは、第四章のテーマになる六〇年安保に関して左派との考え方のズレが広がったこと、そしてこれも第四章で触れますが三井三池争議も原因です。労使は協調するべきだというのは民社党の考え方ですしね。

ただ、社会党の場合、分裂を招いた原因は必ずしも路線の問題だけでなく人的確執もあったはずです。左派が伸びてくれば右派のポストはなくなってくる。党内で右派が浮かばれなくなってきたわけです。

池上　なるほど。本書の重要な目的のひとつに「社会党という党の捉え直し」がありましたが、ここまで党のキーパーソンたちの動きを見てきたことで、その作業がある程度進んだのではないでしょうか。

「スターリン批判」の衝撃

池上　話の流れで年表が先まで進みすぎてしまいましたが、ここで少し戻しましょうか。三池闘争の二つのストが行われた合間、五五年体制が確立した翌年一九五六年には、日本だけでなく世界の左翼運動史を大きく揺るがす重大事件がありました。**五六年二月の、フルシチョフによるスターリン批判、そしてその影響を受けて一〇月にハンガリー動乱が起きたことです。**
ソ連共産党はスターリンが一九五三年三月に亡くなり、同年九月からはフルシチョフが共産党の党首である第一書記に就任して最高指導者となっていました。五六年二月にはそのフルシチョフのもとで行われた最初の党大会である第二〇回ソ連共産党大会が開催されたのですが、当時西側のメディアでも取材できることになっていた冒頭のプログラムが終わり、西側メディアがいなくなったところで、フルシチョフが「個人崇拝とその結果について」という秘密演説を行った。

これがフルシチョフの前任者であり、ソ連では神格化に近い扱いを受けていたスターリンを激しく批判したものでした。マルクス、レーニンは個人崇拝を厳しく戒めていたにもかかわらずスターリンは自分への個人崇拝をむしろ奨励し、自分にとって都合の悪い党委員には「反革命」「トロツキスト」などの濡れ衣を着せることで大量に粛清した、これによってソ連の社会主義建設は著しく妨げられたと暴露した。

佐藤　ロシアには「敵の前で汚れた下着を洗ってはいけない」ということわざがあります。要するに国内の問題は国内で処理して、恥ずかしいことは外国に見せるな、という意味です。ただフルシチョフの秘密演説の内容は当初は党外に漏らすことを禁じられたにもかかわらず、大会に参加した外国の共産党幹部のうち、中国の朱徳副主席以下の一三名には演説内容が印刷されたものが共有されました。

池上　そして六月には、アメリカのニューヨークタイムズがスターリン批判演説の内容を摑み、「ソ連でスターリン批判が起きていた！」と大々的に報じてしまった。

佐藤　そうなるまでの経緯は近年の歴史考証でかなり明らかになっているのですが、この秘密報告は最初、ポーランドの統一労働者党からイスラエルに流出し、イスラエルがさらにアメリカに流したようです。

池上　イスラエルの情報機関モサドがポーランドから摑んだ情報を、アメリカＣＩＡに伝え、ＣＩＡはそれを効果的に宣伝するためにニューヨークタイムズにリークしたというわけですね。

佐藤　イスラエルはその見返りとしてアメリカから最新の戦闘機を売ってもらえることになり、これによって中東戦争で非常に有利な立場に立ちます。まあ、それはまた別の話ですが。

ただ、このときのフルシチョフのスターリン批判の内容は、実は全容となると一九八九年にソ連共産党が公式発表するまでは世界のほとんどの人が知らないものでした。一九五九年に「フルシチョフ秘密報告」というパンフレットが西側世界に大量に流通したのですが、これは完全な偽書です。ロシア語で書かれていて、奥付にはソ連の国立政治文献出版所で刷られたと書いてありますが、内容も八九年に公式発表されたものとは微妙に違っています。冷戦下のアメリカにとって都合のいいように、事実を捻じ曲げたものです。

池上　ＣＩＡが作った謀略文書だったわけですね。

佐藤　ですから政治学者の志水速雄《しみずはやお》さんが翻訳して、今も講談社学術文庫から出ている『フルシチョフ秘密報告「スターリン批判」』（一九七七年初版）という本も、実はこの謀略文書をフルシチョフの本物の演説内容だと誤解して訳してしまったものです。少し調べれば原本がソ連で出ていることはわかるはずですが、当時は志水さんに限らず、西側の多くの学者が騙されてしまいました。

理想の国が侵略した「ハンガリー動乱」

池上　しかし、いずれにしてもフルシチョフがスターリンの独裁体制を批判したこと自体は事実でしたので、このことは全世界に大きな影響を及ぼしましたね。

ソ連の作家イリヤ・エレンブルクが一九五四年に発表した『雪どけ』という小説がありますね。スターリン死後のソ連社会に現れ始めていた寛容な空気を描いたこの小説のタイトルは、やがてフルシチョフ時代の初期という時代そのものを表す言葉になります。フルシチョフによるスターリン批判は、その「雪どけ」が現実のものなのだと世界じゅうの人々に感じさせた事件でした。

特にスターリン時代、ソ連に頭を押さえつけられて窮屈な思いをしていた東欧の社会主義諸国には、自国においてソ連とは違う社会主義を構築しうるのではないか、と考える国も出始めた。それをとりわけ真剣に考えて模索したのが、第一次世界大戦末期の一九一八年一一月にハンガリー人民共和国を樹立するなど、古くから独自の民主主義の歴史をもっていたハンガリーでした。

ハンガリーでは、すでにスターリン死後の一九五三年にナジ・イムレという政治家が首相に就任し、信教の自由の緩和や、強制収容所の廃止などの改革を行っていました。ナジはハンガリー勤労者党内のスターリン派の反発を買い、五五年四月に一時失脚するものの、翌五六年一〇月には、フルシチョフのスターリン批判によって勇気づけられたハンガリーの学生や労働者たちが蜂起し、政府施設の占拠やゼネストを決行。これにより国民に人気のあったナジは、暴動を恐れた党指導部から担ぎ上げられる形で首相に復帰しました。

再び首相となったナジは複数政党制の導入を行うと表明したほか、ワルシャワ条約機構からの脱退とハンガリーの軍事的中立も宣言しました。しかしこれをソ連は断固として許さず、フルシチョフはハンガリーに戦車二五〇〇両、装甲車一〇〇〇両を派遣して首都ブダペストを占領しました。

結局ナジはソ連軍に捕らえられ、KGBによる秘密裁判のすえ二年後に処刑されてしまうのですが、この「ハンガリー動乱」における最も鮮烈な出来事が、ナジが捕らわれる前に逃げ込んだハンガリーのユーゴスラビア大使館で行った、ラジオ放送ですね。

〈こちらはナジ・イムレ。ハンガリーの首相です。今朝未明、ソ連軍の戦車が攻撃してきました。ハンガリーの民主主義政府を潰すためにきたことは明らかです。我が国の軍隊は抵抗しています。政府は持ち場についています。このことをハンガリー国民と世界各国へ伝えます〉

しかしここでハンガリーを助けることはイコール第三次世界大戦への突入を意味しますから、世界のどの国も見殺しにした。けっきょくハンガリー動乱では三〇〇〇人のハンガリー国民が死亡し、二〇万人が西側に亡命したと言われています。

佐藤　このハンガリー動乱を描いた有名な映画が、戦前からハリウッドで活動していたロシア人映画監督アナトール・リトヴァクが撮った『旅』ですね。

主演はデボラ・カーとユル・ブリンナーで、デボラ・カーが演じているヒロインはロシア軍の侵攻を逃れ西側に亡命しようとしているハンガリー人を助けるアメリカ人女性。ブリンナーが演じているのは、ヒロインを国境の町で足止めするものの彼女への慕情から懊悩するソ連軍の将校の役でした。

池上　ハンガリー動乱をリアルタイムで経験した日本のマルクス主義者たちは、当時どう反応し、現在はどう総括しているんでしょうか？

佐藤　日本共産党はハンガリー動乱の際も、ソ連軍によるハンガリーへの介入を支持しました。そして今それをどう総括しているかというと、「八十年党史」で一応の自己批判はしています。

〈党は、五六年のハンガリー事件当時、〝反革命鎮圧のためのソ連軍の介入〟という、ソ連などの見解をうけいれました。これは、情報がきわめてかぎられた状況下で、しかも、自主独立の立場を確立する途上で生まれた誤りでした。〉（133頁）と書いています。

池上　なるほど。ただそれはそれなりに納得できる自己批判という気がしますね。当時は、得られる情報が本当に限られていましたから。

佐藤　しかしその一方で山川均は、ハンガリー動乱が起きた直後に書かれた「ハンガリアの動乱をめぐって」という論文（筑摩書房『近代日本思想大系19　山川均集』所収）などを読むと、この時点でソ連がやったことは間違っていると強く断罪していますし、「いわゆる共産圏は社会主義的な世界ではなくて」（435頁）と言っています。山川自身はハンガリー動乱から約一年半後の五八年三月に七七歳で亡くなっていますが。

ハンガリー動乱が左派知識人を活性化させた

池上　情報が限られていた中でソ連の姿勢を断罪する見通しの深さと分析力は、そのあたりはさすが山川という気がしますね。ただ、彼に限らず、**当時日本の左翼が理想的な国と考えていたソ連がハンガリーの民衆を蹂躙したこの動乱はショッキングでしたし、それ以前にスターリン批判が明るみに出た段階でも衝撃的でした。**なにしろ当時のスターリンはマルクス、エンゲルス、レーニンと並ぶ共産主義のアイコンでしたから。中国などは、いまでもスターリン批判を認めていないくらいですよね？

佐藤　認めていませんね。今も中国共産党が行うパレードでは、マルクス、エンゲルス、レーニン、スターリン、毛沢東の肖像画が並びます。

池上　スターリンがそうやって崇め奉られていたのは今の日本人の感覚では信じがたいことですが、当時は革命のシンボルのように思われていた人でしたからね。その人が実は自国の大勢の共産党員や国民を虐殺していたと判明したことも、またそれにより後継者から批判されたのも天地がひっくり返るほどの衝撃でした。それゆえに**この一九五六年という年を境に日本の左翼の中で大混乱が起きた。それが数年後の新左翼登場を準備した**と言えるでしょうね。

黒田寛一

佐藤　そうですね。まさにこの年には、後に革マル派（日本革命的共産主義者同盟革命的マルクス主義派）の最高指導者、そして新左翼の代表的理論家となる黒田《くろだ》寛一《かんいち》[30]が『スターリン主義批判の基礎』を発表しています。黒田に関しては、予定している続刊でも何度も言及することになるでしょうが、とりあえず現時点ではこの程度の説明にとどめておきましょう。

ここで黒田が展開したスターリン批判の面白さは、フルシチョフのスターリン批判に対して、スターリン派によるスターリン批判であるがゆえに限界があると指摘したことにありました。

黒田によれば、スターリン主義とは一つのシステムにほかならないものでした。スターリンはソ連や他の社会主義国の政治・経済に対してだけでなく、言論や哲学、芸術にまで介入することでスターリニズムという総体的なイデオロギーを確立したのであり、スターリニズムを批判するにはそれらをトータルに批判しなければ意味はないのだと主張した。しかし、ソ連においてフルシチョフが行ったのはスターリニズムの政治的な面に対する批判だけであり、しかもフルシチョフ自身がそもそもスターリン派なのだからこれには自ずと限界があると看破した。これはやはり知識人たちを惹きつけますよ。

こうした黒田によるスターリン批判の代表的論文を収めた『スターリン批判以後』は一九六九年に現代思潮社から上下巻の初版が刊行され、一九九六年には黒田が立ち上げた出版社・こぶし書房からも再版が刊行されたのですが、今はどちらの版も入手困難で古本市場では一冊あたり四万円近くの値がついています。

一九五九年の『現代における平和と革命』（現代思潮社）でもスターリン批判に関する論考が展開されており、こちらは一九九六年にこぶし書房から新装版が刊行されています。

安保闘争が近づいていた一九六〇年に吉本隆明《よしもとたかあき》や埴谷雄高《はにやゆたか》らとの共著で出した『民主主義の神話』（現代思潮社）では、「民主主義とは結局何なのか？」という問題提起をしています。議会型の民主主義とソ連型の社会主義はそれぞれ全く別のものであるのに、これを合わせて全体で民主主義と呼んでいるのは神話ではないのか？　という論です。

数多い黒田の著作の中でも、この三作に関しては非常に広範に影響を及ぼした重要作で

30　黒田寛一（一九二七―二〇〇六）：社会運動家、哲学者。反帝国主義、反スターリン主義をかかげ、一九五七年日本トロツキスト聯盟（のちの革共同）の結成に参加、六〇年安保闘争を指導した。一九六三年に革共同分裂後の革マル派議長に就任。

すね。

スターリン批判は、黒田ひとりにとどまらず当時の日本じゅうの知性を活性化させました。左派知識人たちがソ連あるいはスターリンを絶対視していた状況を一変させ、これらをもう一度、根本から疑ってかかる必要があることを日本の知識人たちに知らしめ、彼らに否応なく反省を迫ったからです。

六〇年代に新左翼が台頭してくる過程で無視できない知識人のひとりが、当時日商岩井勤務の傍ら文筆活動を行い、のちに上智大学の教授となったロシア文学者の内村剛介《うちむらごうすけ》です。

内村は戦前、満洲国所管の国立大学で日本―ロシア間の貿易を担う人材の育成を行っていたハルピン学院で学び、卒業後は関東軍に徴用されて特務機関で働いていたのですが、敗戦と同時に抑留され、ラーゲリ（強制収容所）で一一年間過ごした人物です。

その彼が帰国後に強制収容所での日々を綴ったのが、『生き急ぐ』や『流亡と自存』などの体験記です。内村剛介の作品はスターリン批判の流れの中で、スターリン時代がどのような時代であったのかを、日本人の生きた体験を通じて学ぶ材料として読まれました。

また、ある意味ではスターリン批判の恩恵を受けたのがマルクス経済学者の宇野弘蔵でした。宇野はスターリンがまだ存命中で絶対視されていた一九五二年にスターリンの経済論文を読み、「スターリンは政治的には偉大かもしれないが、この論文はとんでもない」とばっさり切り捨てたのです。宇野は、スターリンの唯物史観に対する理解が硬直的で「経済法則」と「経済原則」の区別もできていないことを繰り返し批判しました。

その論文は一九五八年に岩波書店から出た『『資本論』と社会主義』の第七章、「経済法則と社会主義——スターリンの所説に対する疑問」で読むことができます。ここで論文の内容に深く立ち入ることはできないので、興味のある方は是非一読してみてください。

この論文がスターリン批判後に注目され、「スターリン批判を予見した男」というステイタスを得たことで、宇野はこれ以降、新左翼から過剰に評価されるようになりました。

構造改革派の「天才マルクス兄弟」

佐藤　ところがそうした知性の活性化の流れの中にあって、共産党はそこまで存在感を発揮できませんでした。戦後の共産党における最大の知性といえば宮本顕治ですが……。

池上　宮本が東大在学中の一九二九年に書いた芥川龍之介論「『敗北』の文学」は、雑誌「改造」の懸賞論文に応募して、小林秀雄「様々なる意匠」を差し置いて一位になったほどですからね。

佐藤　しかしその宮本にしても、この頃にはすでに旧世代に属していますからスターリン批判以後の新しい潮流には適応しきれませんでした。山川など労農派の中心人物や黒田寛一らがスターリン批判という現実を直視し、ソ連型とは違う社会主義をいち早く模索し始めたのとは対照的です。

池上　ただ、この頃は共産党にもソ連＝コミンフォルムによる上意下達型の社会主義革命から距離を置き、独自の革命を模索しようとする「構造改革派（構改派）」と呼ばれるグループが登場しますね。

この「構造改革」は近年の日本の政治用語として使われる言葉とは全く違うものなので多少ややこしくなりますが説明が必要でしょうね。要するに、資本主義国家の政治・経済構造を、労働者階級を中心とする勢力の運動によって改革し、さらにその勢力が議会でも多数を占めることで資本主義から社会主義に移行しようとする考え方です。共産党が従来掲げていた二段階革命論と異なり、直接的に社会主義革命をめざす一段階革命に近い考え方でした。

そのため構改派のメンバーの多くが六〇年安保の後に党を自ら離れたり除名されたりしたのですが、後に党の副委員長になる上田《うえだ》耕一郎《こういちろう》[31]と、その実弟で前議長の不破哲三（本名＝上田《うえだ》建二《けんじ》郎《ろう》）の兄弟も構改派の代表格です。

佐藤　当時の共産党にいた若い世代で最も知的なエネルギーを発揮できていたのが、「天才マルクス兄弟」と呼ばれていたあの兄弟でしょうね。上田耕一郎が一九五六年から五七年にかけて出した――もっとも本当は弟の不破哲三はじめ、ほかの構造改革派の人たちと共同で書いたものですが――『戦後革命論争史（上・下）』（大月書店）は、平和革命論、民族解放民主革命、日本人民民主主義革命について三部構成で論じられている本で、この時期の共産党関係者の書いたものの中では最高水準の本です。

ところがこの本は刊行後すぐに党からのクレームを受け、一九六四年に絶版になりました。しかも上田と不破は、『戦後革命論争史』を書いてから二六年も経った一九八三年になって宮本に自己批判させられています。

池上　『前衛』の一九八三年八月号に二人の自己批判書が載ったんですよね。

上田耕一郎

31　上田耕一郎（一九二七―二〇〇八）：政治家、不破哲三の兄。一九六六年に共産党中央委員となり、七〇年に幹部会委員、「赤旗」編集局長。七四年に参議院議員となる。

〈党内問題を党外にもちだし、党外の出版物で「50年問題」や党の綱領問題を論じるという自由主義、分散主義、分派主義の典型的な誤りを犯した〉（「不破哲三の自己批判文」より）という内容の反省文を掲載させられた。

佐藤　明らかに宮本に書かされたんでしょうね。自分に歯向かった人間は二十数年経っても許さないという、宮本の陰険さと執念深さの現れですよ。

共産党ではあの構造改革派の二人が頭一つ以上抜けて知的で、特に上田のほうは、理論家としての水準が極めて高くて、スターリン批判初期の様々な論争にも絡んだ人でした。上田耕一郎は二〇〇八年に八一歳で亡くなりましたが、不破哲三は二〇二一年現在も存命（九一歳）です。

不破を超えられる人はあの党からはもう出てこないでしょう。現に今の共産党では、『資本論』を不破哲三の解釈に合うように翻訳し直しているくらいですからね。党内では〝不破の神格化〟が進んでいると言えます。

中ソ対立の激化と毛沢東「七対三」の法則

池上　スターリン批判に関して、世界的に見てもう一点重要なのは、ここから中ソ対立が始まるという点ですね。

当時の中国では、毛沢東の個人崇拝化が少しずつ始まっていたところでした。一九六四年に国防部長の林彪《りんぴょう》によって「毛沢東語録」が刊行され、中国人民に対し毛沢東の神格化を本格的に始めようとしていた矢先にフルシチョフがスターリン批判を行ったので毛沢東は激怒しました。これはスターリンを批判しているように見せて、実際は自分に対するあてつけなんじゃないかと猛烈に反発したわけです。

佐藤　これに関しても面白い話があります。中国共産党は毛沢東の論文を集めた『毛沢東選集』という論集を五巻まで出しているんですが、その四巻までは一九六〇年頃までに出ていて、五巻だけが一九七〇年代になってからようやく出て、なおかつ一九八二年に絶版になってしまっているんです。

そしてその五巻の中で、毛沢東が一九五六年四月二五日に中国共産党中央委員会政治局拡大会議で行い、その後長らく秘匿されてきた講話も公開された。

池上　いわゆる「十大関係について」と呼ばれる講話ですね。「重工業と軽工業、農業との関係」「中央と地方との関係」「漢民族と少数民族との関係」「革命と反革命との関係」など一〇個のテーマについて毛沢東が持論を述べ、その中でソ連との関係についても、特にスターリン問題を意識する形で述べられた。

佐藤　これが毛沢東の聡明さを表してもいるんですが、そこで毛沢東はスターリンについて、「彼は様々な過ちを犯しもしたけれど、素晴らしい功績もたくさん打ち立てた。その比重をどう見るべきか？」と問いかけたうえで、七対三で肯定的な評価が上回ると結論した。

池上　何でも七対三ですよね。毛沢東の死後に鄧小平が毛沢東の評価を尋ねられ、肯定七、否定三で肯定的な評価が上回ると述べたのはまさにその模倣です。その頃には毛沢東に対して文化大革命で国中に混乱をもたらしたという批判もあったのに、多少の失敗はあったけれど建国の父なのだからトータルでの評価が上回ると論評した。

佐藤　そう。ところで先ほどの「十大関係論」の中で、毛沢東が中国の最大の問題点として挙げていたのが、実は「漢民族と少数民族との関係」なんです。

ここで述べられているのが、漢民族に比べると少数民族は圧倒的に人口が少ない。しかしそれぞれが居住している地域は、人口が少ないにもかかわらず少数民族の居住地域のほうが圧倒的に広く、しかも資源はあるが遅れている。こうした状況があるなかで、中国共産党はそのバランスを取らなければならず、そのためにはほんの少しだけ少数民族を優遇するほうがよい……という内容で、内部報告として非常に優れているんです。

惜しむらくは、これが収められているのが『毛沢東選集』の中でも極端に手に入りにくい五巻目だということです。北京の外文出版社から出たのがときどき古本屋に流れてくるんですけどね。

スターリンの死が世界に及ぼした影響

池上　ですからスターリン批判は、歴史的に見てものすごく多方面に大きな影響を及ぼしたと言えますよね。

中ソ関係に関しては、中国がソ連のスターリン批判に反発して批判し返したことでソ連は中国への支援を全部引き上げてしまった。ソ連の支援なしではやっていけない中国の経済は、これを機に急激に悪化していった。

佐藤　だからこそ自分たちが生き残るために、鄧小平の時代になって一九七四年に「三つの世界」論を出してきたんですね。東西それぞれの陣営の覇権国であるアメリカとソ連が第一世界で、第二世界にはその両国に従属せざるを得ない東ヨーロッパ諸国や日本、西欧諸国がある。そしてそれらとは別の第三世界もあって、中国はその一員であるとした。

そしてアメリカ帝国主義とソ連社会帝国主義は、どちらも第三世界の国・中国にとって「第一の敵」ではあるのだけど、社会主義の仮面をかぶった帝国主義はより悪いものであるということで、他国にも呼びかけて「反ソ統一戦線」を結成しようという対外戦略を取り始める。

でもそれに反発した国がアルバニアで、同国は中国との関係が悪化して、むしろ国を挙げてスターリニズムを徹底する方向に舵を切ってしまった。

池上　だからそれくらい、当時の世界におけるスターリンの存在感は巨大だったということですね。しかもそれは東側だけの問題じゃ全くなかった。当時の日本は朝鮮特需に沸いて一種のバブルだったのに、五三年三月五日に「スターリン死去」のニュースが伝わると、当日の日経平均株価は、前日比一〇％も下落してしまいました。アメリカでもニューヨーク株式市場が暴落するなど、世界各地の株式市場が「スターリン・ショック」に見舞われた。

もちろん理屈のうえでは、社会主義国の指導者が亡くなったからといって、西側のほとんどの資本主義国は直接の影響を被ることはありません。しかしあの時代を実際に生きていた人たちは、超大国ソ連を建国した偉大な指導者が死んでしまった事実にわけもわからず動揺し、誰もが理屈を超えたところで不安に駆られてしまった。

佐藤　一九五六年には日本とソ連が日ソ共同宣言に署名し、日本とソ連は引き続き平和条約締結交渉を行い、締結後にソ連は歯舞《はぼまい》群島、色丹《しこたん》島を日本に引き渡すと合意されています。こういう妥協をフルシチョフが決断したのも、スターリン死後の動揺の中でなければありえなかったかもしれません。

それからスエズ危機（＝第二次中東戦争。一九五六年七月から翌五七年三月にかけて、エジプトがスエズ運河の利権を巡ってイスラエル、イギリス、フランスと争った戦争）があの程度でおさまったのも、ソ連に余裕がなくて介入できなかったからでしょう。

そうした具合に、一九五六年には本当に世界は色々なことが起きています。日本でも直前の五五年に保守合同が起きていますしね。

池上　そうですね、五五年体制。

佐藤　だからそういう意味では、この頃に世界で起きたあらゆる出来事が、「スターリン批判」という大事件を軸にしてつながっていると言えるかもしれませんね。

第四章
「新左翼」誕生への道程
（一九六〇年～）

……武装闘争を放棄するか、続けるか。左派の理論を武器に、若者は運動に向かう。

《第四章に関する年表》

一九六〇年	一月一六日	岸首相ら日米新安保条約調印全権団渡米。全学連学生など羽田空港に座り込み。
	一月一九日	日米新安保条約・地位協定調印。
	一月二四日	民主社会党（民社党）結成（委員長：西尾末広）。
	六月四日	安保改定阻止第一次スト五六〇万人参加。
	六月一〇日	米大統領秘書、羽田でデモ隊に包囲される（ハガチー事件）。
	六月一五日	安保改定阻止第二次スト、全学連主流派国会に突入（樺美智子死亡）。
	六月一六日	岸内閣、アイゼンハワー大統領の訪日延期を要請。
	六月一七日	東京の七新聞社、暴力排除・議会主義擁護の共同宣言。
	六月一八日	安保阻止第一八次統一行動、徹夜で国会包囲。
	六月一九日	新安保条約自然承認。
	六月二三日	新安保条約批准書交換、発効。岸首相、退陣表明。
	七月一四日	自民党大会混乱、池田勇人を総裁に選出。
	一〇月一二日	浅沼社会党委員長、右翼青年に刺殺される。

社会党はなぜ安保反対運動を起こしたのか

池上　第三章では、スターリン批判とハンガリー動乱が日本の左派に大きな衝撃を与え、否応なく反省を迫っていった経緯を見てきました。この対談の最後に、その影響が日米安保闘争にも影を落とし、闘争の過程で共産党とも社会党とも異なる新たな党派が多数生まれていった流れを見ていきましょう。

佐藤　再統一を果たした社会党が再び分裂してしまった大きな理由のひとつが、岸信介首相時代に行われた日米安全保障条約の改定でした。

安保に対して社会党左派は、これはアメリカへの従属を強め日本を戦争に導くことになるとんでもないものだと猛反発し、社会党や共産党、総評、全日本学生自治会総連合（全学連）などが集まって安保改定阻止国民会議が結成された。ただその中でも社会党右派は、反共路線から安保改定に理解を示した。右派の西尾末広は、国民政党としての性格を失った社会党を批判し、党の安保反対一本の姿勢から距離を取ったのです。

しかし、この改定で岸が目指していたのは、むしろ日本の対米自立でした。

池上　そう。一九五二年に締結された旧日米安保条約では、条約に基づいてアメリカ軍が日本に駐留することを認める一方でアメリカが日本を守る義務を規定していなかった。

だから日本が攻撃されてもアメリカは日本を守る義務は負っていなかった。

また驚くべきことに、日本国内で大規模な暴動が起きて、日本政府がこれを単独で押さえ込めなかった場合、アメリカ軍が出動できることにもなっていた。

だから岸は、日本にアメリカ軍を駐留させる代わりに日本が攻撃された際にアメリカが守る義務があることを認めさせ、日本国内の暴動をアメリカが鎮圧・弾圧する規定も除外させた。岸が六〇年の安保改定で目指したのは主にこの二つですね。

なので冷静に考えれば、別にそこまで批判されることではないとも思えるのだけれども。

佐藤　実際に条文を読んでみれば明らかにそう言えますし、実態とイメージの隔たりがかなり大きいわけですが、社会党の主導で反対運動が盛り上がってしまった。

池上　安保条約が改正されることによって、アメリカ軍の恒久的な日本駐留を認めることになり、これによって日本が台湾や朝鮮半島での戦争に巻き込まれるリスクが生じる、という主張に基づいて反対運動を起こしたのは社会党でした。共産党はその前の武力闘争がたたって選挙で大敗北を喫し、衆議院での議席を一つしか持っていなかったので、国会での闘争は社会党中心に実行せざるを得ませんでしたからね。

新左翼を育てた「社会党の傘」

佐藤　他方でこの一九六〇年には、第三章でもお話ししたように三池炭鉱で大規模争議も行われており、ここでも社会党は闘争の中心になりました。

実は安保闘争とこの三池闘争の相乗効果が非常に大きかったんです。三池闘争は、起きたのが一九五九年末でなければあれほど大きい騒動にならなかっただろうということは日本の左翼運動史でもほとんど定説になっていますが、三池と安保の両方にかかわることで、社会党自身も戦闘化していった面が大いにありました。

炭鉱（ヤマ）の現場などというのは、死者が日常的に出るような場所ですし、炭鉱労働者の団結というのは他の業種と比べても格別に強いものがあった。だから社会党のほうも彼らから感化を受けることで相当に戦闘化していき、それが安保闘争の先鋭化にも影響しています。

一方でそういう状況にあって、今度は共産党のほうが党員たち、ないしは党の周辺に集まってくる全学連の学生たちを極力抑える方向に向かっていきました。五五年の六全協で武力革命方針を放棄し平和革命路線に舵を切った今となっては組織を温存しないといけないということで、跳ね上がり的な行動を押さえつけはじめたわけですね。

しかし社会党は統制が緩やかだったので、周辺に集まってくる全学連の学生たちが遠慮なく跳ね上がることができ、やがて彼らが安保闘争全体の中でも中心的存在を担うようになっていきました。

六月一〇日にはアイゼンハワー政権の報道官だったジェイムズ・ハガチーが大統領の訪日日程調整のために来日したものの、安保反対派のデモに取り囲まれて動けなくなり、海兵隊のヘリで救出される「ハガチー事件」が発生し、これによってアイゼンハワーの来日は中止されます。これ自体は共産党系の学生組織が羽田空港に押し寄せたために偶発的に起きたことでした。しかし、全学連による行動について、共産党は自分たちの統制を外れて勝手に動き出す彼らには否定的で、「トロツキスト分子」「反革命分子」だと非難しました。しかし社会党は、全学連の若者たちに対して一貫して好意的でした。

池上 そう。**かつての共産党・社会党の立場が逆転する現象が起きた。**そしてそうやって集まってくる中には、一九五五年の共産党六全協、翌五六年のハンガリー動乱をきっかけに共産党と決別し、新たな路線の共産主義革命を目指していた新左翼もいました。彼らは社会党に多くの全学連の若者が集ってくることに目をつけ、自分たちも社会党に加入することで内部で仲間を増やすいわゆる「加入戦術」を取り始めた。その代表的な党派が「日本トロツキスト聯盟[32]」でしょうか。

佐藤 ええ。そうした戦術を取った中には革マル派もいましたし、社会党の青年部を母体として六〇年初頭にできた日本社会主義青年同盟（社青同）の分派である社青同解放派[33]も六〇年代中盤から独自の動きをしていくようになる。こういうふうに社会民主主義の政党が新左翼セクトを育む一つの土壌になっていったことは、日本独特のことなんですよ。

「新たな革命政党が必要である！」

池上　そうですね。ところで「トロツキスト」や「革マル」などの名前が出てきたこのあたりで、日本トロツキスト聯盟をひとつの源流として、無数の新左翼党派が枝分かれしていった過程を少しばかり整理しておきましょうか。

まず前提として、第三章で見てきたように、日本共産党が一九五五年の六全協（日本共産党第六回全国協議会）でそれまでの武装闘争路線を「極左冒険主義」と自己批判する決定をしたこと、そして翌五六年にフルシチョフがスターリン批判を行い、さらにハンガリー動乱で自由を求めるハンガリーの労働者たちをソ連軍が弾圧したことは、日本で社会主義革命を起こそうとしていた当時の急進的な若者たちに大きな動揺を与えました。

彼らがスターリニズム批判の意識に目覚めるとともに抱くようになったのが、武装闘争

32　日本トロツキスト聯盟：一九五七年一月に結成したトロツキズムを掲げる新左翼団体。通称「四トロ」。
33　社青同解放派：一九六五年に結成した新左翼団体。レーニン主義を批判し「マルクス主義」の復権を唱える。

を放棄して「日和見的」と映った共産党に代わる、新たな革命政党が必要であるという問題意識でした。

それを最初に実行に移したのが、内田英世《うちだひでよ》・富雄《とみお》という、群馬県に住みながら一九五二年頃からトロツキー研究を行っていた共産党員の兄弟でした。彼らは五七年一月に「日本トロツキスト聯盟・第四インターナショナル日本支部」を結成します。これは「四トロ」と呼ばれました。

この四トロを母体として五七年一二月には「革命的共産主義者同盟〔革共同〕」が結成されるのですが、この革共同は内部の路線対立によってさらに細かく分派を繰り返します。

一九五八年には、第四インターナショナルの中心人物として社会党への加入戦術も指揮していた太田龍《おおたりゅう》が、自分の影響下にあった東京学芸大学と日比谷高校のグループを引き連れて分裂〔革共同第一次分裂〕。一九五九年には、かつては民青〔＝「日本民主青年同盟」。共産党の青年組織〕の早稲田細胞のリーダーであった本多延嘉《ほんだのぶよし》と、その本多の盟友だった黒田寛一が離脱して「革共同全国委員会」を結成します〔第二次分裂〕。

一九六三年にはその革共同全国委員会から黒田が離脱し、自分自身の党派である「日本革命的共産主義者同盟革命的マルクス主義派」を結成します。これがいわゆる「革マル派」です。一方で黒田と袂を分かった革共同全国委員会は、残った本多たちのグループが

「中核派」という通称を名乗るようになり、この革マル派と中核派が、新左翼のなかでも特に注目される二大党派となっていくわけです。

佐藤　だから、**社会党という大きな傘の下に様々な新左翼セクトが集まることがなければ、実は安保も盛り上がらなかった。**新左翼はある意味で、社会党という傅育器《ふいくき》の中で庇護され、育てられた。

そういう意味では、新左翼も五五年体制から始まったと言えるんですよ。ふつう五五年体制というと自社体制のことばかりが言われるけど、実は共産党も五五年の六全協で今に続く体制となり、それによって新左翼も生まれてきている。**一九五五年と五六年の二年間で、その後の日本の政治・思想のあらゆる方向性が定まったと言えるんです。**

「ローザ・ルクセンブルクに依拠」の意味

佐藤　また、社会党はもともと社会民主主義を掲げる政党で、なおかつこのときまでに民社党が分派していることでかなり左翼的な政党になっていたわけですけれど、その中核を担っていたのは、右側の人も少なからずいた国会議員ではありませんでした。社会主義協会という、社会党内における一つの派閥であると同時に、党の理論構築を一手に担っていたグループが絶対的な中心であり続けました。社会主義協会は労農派を前身とする団体で、山川均や向坂逸郎、大内兵衛《おおうちひょうえ》などの知識人が参加していました。

池上　運動の理論や路線・方針については全て縁の下の力持ちである社会主義協会が策定し、社会党の国会議員はそれらをありがたく表舞台で使わせてもらうという立場ですね。

佐藤　社会主義協会の人たちというのは、職業革命家ですよね。この人たちの場合、国会議員になってしまうと逆にできなくなることが多いし、そもそも人として最も正しい生き方は労働者でいることだと考えているから、自分たちが議員になることは基本的にはしないし、東大や一橋などの大学を出ているのに大学の先生になろうともしない。民主党政権で財務副大臣を務めた峰崎直樹《みねざきなおき》さんは社会主義協会から参議院議員になった比較的珍しい人ですが、彼も一橋大学の大学院で経済学を修めた秀才でありながら、労働運動の現場に立ちたくて鉄鋼労連の専従になった人です。

池上　労働組合の専従として働きつつ、社会主義協会で職業革命家としての使命も全うするという生き方ですよね。社会党の専従だと、当時でも月三万円ぐらいしか貰えないから、労働組合の専従として生活の保障を得ながら運動ができるという。

佐藤　いずれにしても社会党という政党はど真ん中に社会主義協会があって、さらにその左に新左翼がいるというような不思議な政党になっていった。こういう独特な構造になっていたわけです。

これまでの左翼運動史は、社会党の、こうした特殊な位置づけについての分析が全くできていなかったと思います。

池上 そういう経緯で社会党が戦闘的になったのを好機と見て、反スターリン主義を掲げる新左翼セクトの第四インターナショナルが加入戦術で社会党に入ってくる、ということがありました。

その一方で社会党がもともと擁していた青年組織である日本社会主義青年同盟（社青同）が労働者と学生が混在する組織だったことから、学生だけが参加する「学生班協議会」という新組織が立ち上がりました。これが急激に左に傾倒して、特にローザ・ルクセンブルクの考え方に依拠して、社青同解放派というセクトを立ち上げることになるわけですね。

佐藤 若い人は「ローザ・ルクセンブルクに依拠」と聞いても「ふーん」としか思わないでしょうけど、当時は大変なことですよ。だって、これはすなわちレーニンを否定するっていうことなんですから。

池上 社青同解放派は、レーニン主義的な大衆指導路線を批判するローザ・ルクセンブルク主義の立場をとり、マルクス主義の復権を掲げていました。なので、レーニンの革命論をマルクス主義と不可分であるかのように考えるマルクス・レーニン主義全盛の文脈にあっては必要以上にネガティブに捉えられる向きがありました。

佐藤　そう。それにローザ・ルクセンブルクはロシア革命も評価していませんでした。あんなものは本当の革命ではないと批判していた。

だから左翼がみんな、「マルクス・レーニン主義者」を名乗っていた時代において、社青同解放派が「我々は共産主義者であってもレーニン主義者じゃない。レーニンはむしろ人民を抑圧する体制をつくった」と言い出したことはものすごいインパクトがあった。

でもこれは、国際標準だと実はそれほどおかしいことじゃなくて、こういう考えをする人はヨーロッパ左翼にはけっこう多いんですよ。

日本でも、最近話題の『人新世の「資本論」』を書いた若手哲学者の斎藤幸平さん。彼の思想は基本的にヨーロッパ・マルクス主義の流れを汲んだものですし、図式的にはかなり解放派の主張に近いです。鉄の規律による前衛党を否定して、感情に基づき一人ひとりが疎外された状況に反発し行動するという発想です。

社会主義協会で対立した「釜炊き論」

池上　さて、解放派が飛び出した後の社青同では、社会主義協会の強い影響下にある社青同協会派というグループが主流派として残ります。ただそれも一九六七年には向坂派と太田派に分裂してしまいます。

このときに一方の太田派を率いたのが、総評の議長だった太田薫《おおたかおる》。太田は宇部窒素（現・宇部興産）労働組合の初代委員長だったのが合成化学産業労働組合連合（合化労連）を結成して総評に加盟、総評議長在任中に春闘という闘争方式を日本の労働・産業界に定着させた人物です。この春闘という言葉まで最近は死語になりつつあるので一応説明しておくと、毎年春先に大企業各社の労働組合が賃上げや労働時間の短縮などについて一斉に会社と交渉する闘争方式のことですね。

ただ理論派揃いの社会主義協会にあって、彼本人は理論的とは程遠い人だった。

太田薫

佐藤　そう。太田薫の名言で、「クソがついていても千円札は千円札」というのがありますね。

池上　どんな手段であろうと賃上げができればいい、結果的に労働者の給料が上がるならそこに至るまでの交渉過程なんてどうでもいいんだという主張ですね。

佐藤　社青同の向坂派では「クソつき千円

札」と言われて忌み嫌われていましたが、私は個人的に嫌いではありませんでした。現場感覚のある冴えた表現だと思います。

池上　そういえば太田薫は、一九七九年の東京都知事選挙に美濃部亮吉《みのべりょうきち》の後継候補として出て落選したこともありますね。

佐藤　その頃の社会主義協会向坂派は真面目に選挙の応援をやらなかったんでしょうね……。

あと社会主義協会の向坂派と太田派への分裂に関して補足すると、実はこれにも逆転があるんですよね。

どういうことかというと、太田派が争議など現場の活動を重視し過ぎることに対して、学者集団である向坂派はもっと理論活動を重視すべきだと反発し、これが両者が道を分かったそもそもの原因だった。ところが当初は太田派に押される少数派だった向坂派がいつの間にか運動重視になって盛り返し、何人か国会議員までも出すようになると、太田派は関西圏での限られた影響力しかない勢力に転落してしまった。だから今でも社会主義協会というと、基本的に向坂派を指すことになってしまっているわけですが。

池上　だからよく「釜炊き論」ということが言われましたよね。社会主義協会というのはあくまで社会党の中に留まって、ひたすら党の理論面を下支えするのが仕事である、いわば風呂の釜を炊き続けて、常にお湯の温度を保っておくのが使命だという論。

だけど太田派は、そんなことをやっているだけではもはや生ぬるい。社会党を理論的に支えてやる黒衣に徹するのではなく、社会主義協会が自ら革命政党に脱皮して革命の主体的な担い手になるべきなんだと言い出した。それに対して向坂逸郎たちは、いやあくまで社会主義協会は社会党の黒衣であるべきだと主張し両者は分裂してしまった。厳密にはもっと細かい話ですが、大雑把に言うとこういうことになります。

佐藤 だから太田派は「主体」と「変革」がキーワードで、そこから分かれたグループは「人民の力」という機関紙も出していましたね。

池上 革マル派からは「人力派」とバカにされていました。太田派から分かれた左翼グループは、そういう活動もしながら社会主義協会太田派を母体に実際に党を作っていこうとしていた。

佐藤 あまり長続きはしなかったけど。これに対して社会主義協会向坂派は社会党の階級的強化を唱え、共産党に対抗していこうとした。共産党が私を嫌いな理由の一つは、私が社青同出身だということを明らかにしているから、というのもあるかもしれない。

池上 それはそうでしょう（笑）。

学習指定文献があった社会主義協会

佐藤　日本共産党は一九七四年に「日本共産党中央委員会」の名義で『社会主義協会向坂派批判』という分厚い本を出しているんです。「社会主義協会向坂派は、日本の社会民主主義の一派でありながら、マルクス・レーニン主義を捻じ曲げた反共主義勢力でありけしからん」という内容です。系列の新日本出版社から出すとか、そういったワンクッションを入れずに中央委員会が直々に出しているというのはかなり重みがあります。

とにかく共産党は社会主義協会、特に向坂派が大嫌いですからね。太田派に関しては、「今のところ反共活動はしていないから許してやる」というスタンスのようですが。

池上　それはやはり、社会主義協会との理論闘争で劣勢だったことに対する危機感の現れでしょうね。このままだと日本の左翼運動の主導権を社会主義協会に握られてしまうと思っていたんでしょう。

佐藤　その頃はまだ、共産党の学習指導文献一覧に『共産党宣言』が入っていなかった時代ですからね。だから共産党員が理論面の論争をすると、社会主義協会の人たちには全然勝てませんでした。

当時の共産党は『学生党員の活動の手引』という冊子を出していましてね。「他人と話すときは丁寧語を使うようにしなさい」とか、「毎日ちゃんと歯を磨きなさい」とか、あと「女性党員は特性を生かした活動をするように」とか、そういう生活指導みたいなマニュアルを作っていたんです。

それに対して社青同では「学習指定文献」といって同盟員が読むべき本があらかじめ指定されていて、このリストがとにかく多かった。『資本論』はもちろん、『共産党宣言』『空想から科学へ』『賃金、価格および利潤』などマルクスやエンゲルス、レーニンが書いた基本文献はすべて読むように言われていましたし、これを読むための解説書のたぐいもまた多いんです。『学習『空想より科学へ』』とか、『学習『共産党宣言』』といった解説書が労働大学新書から出ていて、これらもみな読まなければいけませんでした。

池上　労働大学というのは、社会主義協会が運営していた労働者教育を行うための部署ですね。そこが出版事業も行っていて、「労働大学新書」という新書も出していた。

佐藤　社青同では班ごとに分けて勉強させていました。班の会議は最低でも週一回あって、課題図書をしっかり読みこなしていないと班での討論についていけないんです。だから社青同のメンバーはみんな必死に勉強していましたね。

そんなところだから、社青同は入りたくてもまず簡単には入れてくれません。半年ぐらい様子を見て、「入った後にちゃんと学習する奴なのか」「酒癖・女癖は悪くないか」といったことまでチェックされて合格したらようやく入れてもらえる。入ったら入ったで毎日勉強漬けです。それに比べると共産党系の民青（日本民主青年同盟）はその日のうちに入れてもらえるから、やっぱり体質はだいぶ違いましたよね。

向坂逸郎の「革命家的」リアリズム

佐藤　そうした違いもあって、社会主義協会の側では共産党と新左翼ではまだ新左翼のほうにシンパシーを感じていました。だから社会党でも社会主義協会や社青同の人たちが言う「平和革命」というのは、「怖いことをしない」というのとはちょっと違うんです。

国家権力というのはきわめて強力、かつ凶悪なものだから、中核自衛隊や山村工作隊のような中国共産党が取った戦術の物真似、あるいは新左翼も使っていたオモチャのような火炎瓶で襲撃したところであっという間に武力によって鎮圧・弾圧されるのがオチだ。だから自分たちは絶対にそういった浅はかな挑発行為はしないが、その代わりソ連に頼って革命を成し遂げるんだ、という方針を明確に頭に描いていた。まず日本で議会で多数派を形成して政権を掌握し、しかるのちにソ連に後ろ盾になってもらえば平和革命は可能なんだという、そういうリアリズムが根底にある。

これって体制側から見れば最悪のやり方で、刑法で言えば罰則が死刑しかない外患誘致罪が適用されるような計画なんですけど、今にして思うと、向坂逸郎はそう考えていたはずだと私は思うんですよ。

池上　なるほど。

佐藤　あれほどまでに平和革命を強調していた党の浅沼稲次郎委員長が暗殺までされなければいけなかったのだって、結局はやはり本気で革命を考えていたからですよ。

私はソ連が崩壊した後に、社会主義協会や、社会党左派が全国でマルクス主義や労働法の講座を行っていた労働大学などとソ連共産党の関係を、自分自身のルーツ探しという意味もあって調べてみたことがあるんです。そうしたらカネの流れに関する資料が出てくること出てくること。社会主義協会がハバロフスクで労働大学を開講した際の費用などもみんなソ連が出していたんです。だから受講料があんなに安かったんですね。

「社会新報」などの機関紙を発行するための紙までソ連が送っていたこともわかりました。

池上　表向きは日ソ貿易の体裁を取っていたんですよね。

佐藤　そう。貿易操作をしていたんです。だから社会党が北海道の選挙で仮設事務所を建てるのに必要だった材木なども、商社を通じてソ連共産党から社会党に卸されていましたし、資金も流れていた。そういうことを示す書類が全部残っていて、読んでいてとにかく面白かったですね。このあたりのことについては、拓殖大学の名越健郎《なごしけんろう》教授が中公新書から出した『クレムリン秘密文書は語る　闇の日ソ関係史』を読めば引用文献も含めて詳しく書かれています。

ただ今になって思うと、向坂逸郎という人はやっぱり大した人ですね。これだけのリアリズムと国際的視野を持ちながら本気で革命を実現しようとしていたのですから。

池上　実にリアリスティック。

佐藤　そう。社会党の平和革命論は、不破哲三などには「ソ連に依存した、主体性のない革命論だ」として批判されました。でも向坂逸郎に言わせれば、「それのどこが悪いのだ」というところでしょう。

だから北方領土問題の解決についても、向坂は、日本が社会主義体制にさえなれば、同じ社会主義共同体を構成するソ連との間で解決できるだろうしその時に改めて考えればよいとしていた。

また軍事に関しても、向坂は日本はいずれ軍隊を持つべきであると考えていた。それも単に自国を守る軍隊ではなく、いずれ社会主義革命を共に推進する同盟国となるはずのソ連を守り、アメリカ帝国主義と戦うための軍隊を、です。

だから社会党の説く非武装中立論は、あくまで条件付きの非武装中立であったのですが、そのことがあまり理解されていない。

池上　そういう意味においても向坂逸郎という人はやはり正真正銘の革命家だったんでしょうね。

佐藤　はい、ただの知識人じゃないですよ。だって三池争議を指揮していた頃なんて炭鉱に通い詰めては、特攻隊帰りなど海千山千の炭鉱労働者たちを説き伏せてみんな自分のシンパにしてしまい、鉱山会社が暴力団を雇って人殺しまで起きるような現場で先頭に立って戦い続けたわけですから。それはやっぱり根性の入り方が違いますよ。

　でもその革命に対する覚悟・気迫のようなものは、向坂が率いていた当時の社会主義協会そのものもかなりの部分共有していたものでもありました。だから一九七〇年代中盤以降の社会党と共産党を活動家レベルで比べれば、社会党のほうが左だというのは常識でしたよね？

池上　そうでしたね。専従活動家であるとか、社会主義協会系の社会党員はたしかにそうでした。だから社会党左派は、共産党よりはむしろ新左翼のほうに体質が近い。

佐藤　向坂にしても新左翼にしてもやることが極端でした。でも、革命の問題を本当に突き詰めて考えた人というのは最終的には極端なこと、突飛なことをやらざるをえないんですよ。

黒田寛一と「人間革命」の共通項とは

佐藤　ただ面白いのは、新左翼の代表的論客にして、革マル派の最高指導者であった黒田寛一は決してそういうタイプではないことです。

　彼は本当ならば、日本でもごくごく限られた人しか進めない超エリートコースに乗るはずの人だった。

池上　抜群に頭が良かっただけでなく毛並みも良かったですからね。黒田の曾祖父は三多摩自由党で活躍した自由民権運動の活動家で、祖父は東京帝国大学医学部を出て東大病院勤務を経て開業した医師。父親も医師をしながら府中市議会議員や議長を歴任したような人だった。黒田自身も旧制東京高等学校在学中の友人は網野善彦（歴史学者、一三一ページ参照）、氏家《うじいえ》齊一郎《せいいちろう》（元日本テレビ放送網代表取締役会長）、城塚登《しろつかのぼる》（倫理学者。日本倫理学会会長などを歴任）など錚々たる顔ぶれでしたから、何もなければきっと輝かしいキャリアを歩んだでしょう。それなのに黒田は、肝臓病と皮膚結核にかかって東京高校を退学せざるを得なくなり、さらに結核の影響で視力が極端に衰えたことで、キャリアを断念せざるを得なくなった。

佐藤　その挫折の体験が、黒田に自分がマルクスの説くところの「疎外された人間」、つまり人間としてあるべき本質を失った人間であるという思いを強く抱かせるに至った。そして彼は自分を疎外から救い出すためには自分自身を変革、つまりインテリの殻から抜け出してプロレタリア的な人間、完全なる労働者に生まれ変わらなければいけないと考えた。

さらに社会の構造そのものを変えて共産主義社会をつくらなければいけないが、それには社会に参画する一人一人が自己を変革し、真の革命家にならないといけないという発想に至ったわけです。

ですから黒田の思想では、社会の一人一人が思想を通じて個々に人間革命を起こし、それによって初めて世界そのものが変わっていく。……これって、似てますよね？

池上　なるほど、創価学会の思想と同じですね。

佐藤　しかもそれと同時に革マル派では師弟関係も非常に重視するんです。黒田思想に帰依することでその先に解放がもたらされると考える。つまり宗教的な体質があるわけです。

ただし革マル派と創価学会には決定的な違いがあります。革マルの場合、自分たちの正しい革命の理論のためには自分の命を捨てることをも厭わないし、革命を妨害する分子の命を奪うことも許される。こういうロジックができてしまう。

その点、仏教徒である創価学会員はどのような論理によっても殺人を肯定しません。

「目的が手段を浄化」する革命的暴力論

池上　さて、同じ団体から分派して新左翼の二大党派となった「中核派」と「革マル派」は、思想や運動に対する見解の相違から「内ゲバ」（諸派間の対立から起こる暴力抗争）が激化していきます。

佐藤　中核派と革マル派の内ゲバが殺し合いにまで発展した最初の事件が、一九七〇年に起きた「海老原事件」です。この事件では海老原俊夫《えびはらとしお》くんという東京教育大学の革マル活動家の学生が中核派に殺された。実はこの海老原くんは大宮市立植竹中学校（現・さいたま市立植竹中学校）と埼玉県立浦和高校の卒業生で、私の中学高校の先輩に当たる人なんです。その彼が、中核派が池袋駅の東口で街宣活動をやっているところにたまたま通りがかったのを見つかり、以前からの因縁をぶつけられ、殴る蹴るの暴行を受けた。そしてその勢いで法政大学第二校舎の地下室に拉致され、椅子に縛り付けられたまま「反革命は死ね」などと言われながらリンチされ、死んでしまった。

革マルの革命的暴力論は、この時に生まれたものです。

革マルが中核派の殺人を非難するにあたって最も問題視したのは、中核派が「その場の勢い」で突発的に海老原くんを殺したことでした。目的意識性を持って殺していないことが問題であり、このような軽々しい連中に革命運動をやる資格はないという理屈だったのです。そこから、革命運動を行う過程では革命的暴力を行使しなければいけない場面は当然あるし、革命のために必要な殺人は肯定される、というロジックにつなげていった。

でも、革命運動というものの本質を論理的に、突き詰めて考えれば、たしかに革マルの言うとおりの面がある。だから怖いんですよ。

池上　目的が正しければ手段は浄化される？

佐藤　それはなぜかというと、マルクスの理論の基礎部分にはヘーゲルの理論があり、革命という行為をヘーゲルの弁証法に沿って捉えると、その過程で暴力を行使することは不可避とも言えるからです。

つまり、現代において「平和な世界をつくりたい」という命題（テーゼ）を掲げる者は、支配者階級による抑圧を受けるという反命題（アンチテーゼ）を突きつけられることになります。しかしここで支配者階級を除去すれば、真の平和という総合命題（ジンテーゼ）に辿り着ける。反命題（アンチテーゼ）を乗り越えるための暴力が暫定的には肯定されるという理論構成になっているわけです。

池上　新左翼セクトでも最も陰惨な内ゲバ、殺し合いをしたのが中核派と革マル派ですね。ただこの二つの党派にしても、最初は単なる革命を行ううえでの路線対立だったのが、それがヒートアップしていくうちにいつの間にか警察や国家権力よりもお互いを激しく憎むようになり、殺し合いまで始めてしまった。そうなると、一般の民衆は誰も彼らにはついていきません。

佐藤　社青同解放派だって、のちに「狭間派・現代社派」、「解放派全協・労対派」、「赤砦社派」の三派に分裂してしまって、お互いにテロで殺し合いをしていますからね。目的が手段を浄化すると思いこんでしまうと、本当に恐ろしいですよ。

池上　ただ、少し時代が下ると右翼の側の活動もどんどん過激になっていきましたよね。一九八二年に新右翼の活動家による「スパイ粛清事件」（民族派団体「一水会」の政治局長など新右翼の活動家四人が仲間に対して公安のスパイと疑いをかけてリンチし殺害した事件）が起きた時は、右も左も最後は同じところに行き着くかという印象を強く与えました。

佐藤　その実行犯のひとりが後に小説家になった見《み》沢《さわ》知《ち》廉《れん》で、彼なんかは遅れてきた右翼ですよね。新左翼が過激化した結果、その反作用としての右翼も新左翼に少し遅れて過激化して、彼のような新右翼が登場した。

だから右翼にしても左翼にしても、その時々の時代の構造に対する反作用として出てくるものだし、そう考えるとこれからはやはり左翼の時代になっていくと思うんですよ。もちろんそれは、社青同とか新左翼といった、私たちの世代がイメージしやすいものとは少しばかり違うスタイルで出てくるのかもしれませんけどね。

社会党に忍び込んだ「ボス交体質」

池上　そろそろこの章のまとめに入りましょう。ここまで見てきたように、社会党は六〇年安保と三池闘争を通じて新左翼を育てる傅育装置としての役割を果たしたと言えますが、社会党という党そのものも非常に不思議な構造をもつ党でした。
　党の中でも本当の中核を担う層、つまり選挙で実働部隊として動いたり、その母体となる労組を組織したりするなどの地道な活動・運動は左派の社会主義協会がやっていて、一方で彼らの力で国会議員になるのは総評に加盟する各労組で長年役員を務めていたような人で、彼らが定年で役員をやめた後の天下り先というか、一種の「あがり」ポストとして社会党の国会議員の椅子が用意されていた。だから社会党の国会議員には、社会主義協会出身の議員を除けば本当の左派って実はあまりいませんでしたね。

佐藤　社会主義協会出身の議員も山本政弘《やまもとまさひろ》と高沢寅男《たかざわとらお》くらいで本当に少なかったですよね。ちなみに高沢寅男の秘書が、津田公男《つだきみお》さんでした。

池上　ジャーナリストの津田大介《つだだいすけ》さんのお父さんですね。

佐藤　津田さんと話したときには、彼が一番最初に行った外国はお父さんの付き添いで高校生の時に行ったソ連だと言ってましたね。

池上　だから社会党は非常に二重構造になっていた。社会党の国会議員はよくいえば温和な、どこにでもいるお父さんタイプ。でもその議員を支える秘書が社会主義協会から送り込まれている超インテリ、というパターンがよくあった。

でもこれだと、どうしても議員の言動に裏表が出てきてしまうんですよね。国会論戦やテレビカメラの回る場所など表立った場所ではいかにも革新政治家的な、左派的な言動をするのだけど、実は議員本人はそんなことに大してこだわりをもってはいない、なんてことはいくらでもあった。だから国会でも、自民党と社会党の国会対策委員が裏取引をしてしまうことも往々にしてあった。

そんなことをしているうちに、社会党自体も必然的にぬるま湯体質になっていきましたね。最初の頃は平和革命実現のための、本気で国会の過半数の議席を獲ろうと全国のほとんどの選挙区に候補者を出していたのが、何度選挙をやろうとどうしても過半数は獲れないとなって、いつの間にか三分の一の議席を確保するための候補者しか出さなくなった。三分の一以上の議席さえ確保しておけば憲法改定の発議は阻止できるということで、「護憲政党」という地位に安住するようになってしまったからです。

佐藤　だから社会党に所属していない無所属の国会議員のグループと、衆議院で「日本社会党・護憲共同」という統一会派を組んでいた時期もありましたね。

池上さんがおっしゃる通りで、社会党の国会議員はこういうぬるま湯的な体質に安住してしまっていたがゆえに自然と「ボス交（ボス交渉）」体質になっていきました。

社会主義協会が組み立ててくれた理論を表向きは尊重し、国民に対しては「与党自民党と断固戦う」というポーズを取るのだけれども、実際には国対委員長が与党の政治家たちと麻雀でもしながら、国民不在・党員不在のまま適当なところで手打ちをする。

こういう、最終的には当局とのボス交で決めてしまうというのは国労でも長年行われていたやり方でもありましたが。

いずれにしてもこういう構造がある中で、社会主義協会は理論的に純化していく一方で労働組合は労働貴族化していき、社会党は職業政治家の集団という色彩を強めていきました。

池上　「三分の一政党」というポジションに安住しきってしまった政党が緊張感を保ち続けられるはずがありませんからね。議員たちにしても、社会党の候補者として公認してもらえさえすれば出身労組の組合員たちが実働部隊としてポスター張りやビラ配りをしてくれて、大抵の場合は危なげなく当選できるわけで、そうなるともはや国会は第二の人生というか、組合役員を降りた後の、単に老後を過ごすための場所でしかない。本気で革命をやろうなんていう意欲は、当然ながらなくなります。

佐藤　だから自民党型の国対政治、麻雀政治にも易々と染まっていった。

池上　そうですね。法案をめぐって与野党が揉めに揉めて国会が止まると、自社両党の国会対策委員が麻雀して、なぜか自民党議員が大負けしてそこから急に国会がまた動いたりする。当然そこで金のやり取りもあったでしょう。

佐藤　国会は雀卓の上、ないしは雀卓の下で動いていた。

池上　そう。しかし自民党も結党後最初のうちは「三分の二を獲って憲法改正だ」と意気揚々としていたのが、それはさすがに難しそうだとなると、「まあ過半数獲って政権さえ維持できればいいや」とこちらもナアナアになっていった。

卓越した指導者だった宮本顕治

佐藤　その状態がお互い一番ラクですからね。でも、この状況を本気で変えようとした政党が二つあり、一つは創価学会が作った公明党。そしてもう一つが共産党でした。

その上で六全協以降の共産党について改めて確認しておかなければいけないのは、一九五五年の六全協の頃から党を主導した宮本顕治という人物が、やはり卓越した指導者だったということです。

この指導者が最初はソ連べったり、次に中国べったりではあったんだけど、やがて両方ともろくでもないということで独自の道を行くことに決めた。その過程で時にはナショナリズムをさんざんに煽りつつも、平和革命と暴力革命はそのどちらも放棄しない。敵の出方しだいで使い分けるのだというロジックを編み出して、巧みにカモフラージュしながら戦後の議会政治に足場を確保してきた。

共産党と公明党がお互いを敵視しないことを約束して「創共協定」を結んだ一九七五年に宮本顕治は創価学会の池田大作《いけだだいさく》会長（現名誉会長）と対談していて、この内容は『池田大作　宮本顕治　人生対談』（毎日新聞社）という本で読めるのですが、これが実におもしろいんですよ。対談の冒頭、挨拶もそこそこに池田が宮本に次のような打ち明け話をするんです。

〈**池田**　ところで宮本さん、私があなたと初めてお会いしたのは、実は二十年ぐらい前なんですよ。一対一で。あなたはたぶん覚えておられないでしょうけれど。

宮本　二十年前？

池田　あなたは一度（衆院選挙に）出馬されたでしょう。

宮本　ええ一度、一九五五年の二月、東京一区から出たことがあります。

池田　そうですね。その時、あなたは国電市ケ谷駅近くの食堂の前で、街頭遊説をされていた。私は、ちょうどそのそばを友達と通りかかったのです。二十五、六歳のころです。私は、道を求める青年として、社会主義の指導者の話にも関心を持っていたので、あなたの演説を聴こうと言ったんです。ところが、友達は興味がないと帰ってしまった。あの当時の共産党さんは、いまほど国会議員もいなかったころですから、聴衆は結局、最後まで私一人だったんです（笑い）。

宮本　ほほう、そうですか。これは驚いた。えらい人に聴かれていたものですね（笑い）。あのころは、衆院議員が川上（貫一）さん一人という時で、私たちの党が戦後いちばんひどい状態でした。それだから、ぜひとのことでそうなったのですが、人手もなく金もないので、立会演説会の移動は、流しのタクシーを手をあげて止めるという有様でした。小さいリンゴ箱の上に立って話したと思います。聴衆がどのくらいだったかは覚えていませんが、しかし、たった一人の熱心な聴衆が池田さんだったとは……。これはまた奇遇で（笑い）。〉（12頁）

さらに池田は、宮本が一二年間の獄中生活を耐えたことを自分の師匠である戸田城聖との体験と重ねつつ讃え、さらには「もし戸田城聖との出会いがなければ、（略）社会主義運動に入っていたかもしれません」とまで言っています。

池上　創価学会の初代会長である牧口常三郎《まきぐちつねさぶろう》と二代会長の戸田城聖は戦前、国家神道に帰依することを拒否して治安維持法および不敬罪で逮捕されていますからね。牧口に至っては、宮本が巣鴨に囚われていた時期に同じ場所で獄中死しています。

佐藤　対する宮本の側も、池田に対してかなり好意的です。たとえば、

〈私が最近、非常に大きな関心を呼び起こされたのは、あなたの先般来の中国、ソ連旅行を報告された二つの本です。いちばん印象的だったのは、あなたが社会主義の世界というものを、旧社会から新しい社会への前進過程としてとらえているということです。あなたの表現では、主にタテの関係としてみて、この社会革命と人類の文化の継承的発展との関連でも肯定的にみておられる。もちろん、あなたの立場からご覧になって、いろんな問題点は当然おありでしょうし、紀行文の中にも出ていますが、全体としては反共主義という偏見からではなく、これらの国の生産や労働、教育、人間関係について、開いた心で誠実に心にとめようとしておられます。特にナチスの侵略を受け、英雄的な防衛戦争をやったレニングラード紀行などでは、ファシズムへの社会的人間的な批判と糾弾が感動的に表明されています。〉（25頁）など。

　トップ同士がそういう対話をしたことは、今ではお互いに封印していますけどね。

いずれにしても、第二章でも触れたように「敵の出方」論のような理論を編み出し、**必要と見れば創価学会とも手を取り合える宮本顕治という傑出した指導者がもし出ていなければ、共産党がここまで拡大することはなかったのは間違いありません。**

以前、（共産党の元幹部であったが二〇〇五年に離党した）筆坂秀世《ふでさかひでよ》さんに教えてもらって知ったのですが、ソ連が崩壊して党内に動揺が走った一九九一年に宮本が出した指示は衝撃的でした。

「お前たちはソ連の崩壊に対して一切動揺する必要はないし、何も考えないでいい。今の党の立場を対外的に説明するための理屈は我々最高幹部が考える。お前たち一般党員が党の外の人と話すときには、『職場で搾取された』とか、『親やきょうだいを戦争で奪われた』とか、そういう共産党に入る動機になった話をなんでもいいので、なるべく実感を込めて、具体的に話すことだけを心がけろ。そうすれば今のこの危機は切り抜けることができる」――こういう指令が来たというんです。

これに対して当時の共産党員たちはこの指示を忠実に守り、『日本共産党』という党名を変えないことも含めて組織が決めた方針に全面的に従うことで生き残ることができたというんです。宮本のこの指導力というのは、やはり破格です。

池上　ソ連共産党解党時に、赤旗が一面トップで「（ソ連共産党の解散を）もろ手をあげて歓迎する」という見出しを打ったこともすごい衝撃でしたものね。ソ連共産党という社会主義の親玉が崩壊すべき歴史的出来事であるとしちゃったことで、我々も含めて一般世間は「共産党はいま相当に動揺してるだろうな」と思っていたのですが、逆に「歓迎する」と来た。当時あれを見て私は、「うわー‼　この党はこうやって生き残ろうとしているのか！」と思いましたよ。

佐藤　そう。その声明を正当化するために、日本共産党はゴルバチョフを今でも悪者、最大の裏切り者扱いしているんです。一九八二年から八五年までソ連の最高指導者だったアンドロポフとチェルネンコは核廃絶を進めた立派な指導者だったのに、ゴルバチョフにやる気がなかったせいでソ連は社会主義国として堕落したという考え方ですよね。実に面白いですよ。

現在の社民党は「右翼社民」

池上　東西冷戦の終焉に際して、共産党はそういうアクロバティックな理屈をひねり出して生き残りをはかるわけですけど、一方で社会党はうまく乗り切れませんでした。

冷戦が終わった途端に、社会主義下のソ連や中国でひどい人権侵害が行われていたことが分かってきて社会主義を理想化する空気が一気に冷めていったのに加えて、中国が軍事拡張路線を取り始めて日本にとっての脅威とみなされるようになり、社会党が長らく掲げてきた非武装中立や対中友好などの路線は素直には受け入れがたいものになり始めていた。そういう空気にあって、社会党が自らのあるべき路線・方針をピシッと示せなかったことが党勢衰退の最大の原因と思いますね。

佐藤　そのとおりですね。

池上　そういう流れの中で一九九三年七月、のちに新生党を結成する小沢一郎《おざわいちろう》氏らを中心とするグループが自民党を離党することにより非自民連立政権が発足します。この連立政権で小沢氏との折り合いが悪かった社会党はまもなく政権から離脱し、翌年六月には「小沢憎し」で自民党と連立政権を組んでしまう。

これがまた国民を仰天させましたよね。一般の国民は社会党と自民党が裏で雀卓を囲む関係であることなんか知らないので、この両党は憲法観などで相容れない関係だと思っていた。それがこんなにもあっさり一緒になってしまったのですから。この時に社会党は日本中の左派から失望、落胆を買い、ここをきっかけにごっそり支持を失ってしまった。

さらにこの政権で、社会党が委員長の村山富市《むらやまとみいち》さんを総理大臣に出してしまったことは致命的なミスでした。本来の社会党の見解では自衛隊は憲法九条違反のはずが、日本の総理大臣ともなれば同時に自衛隊の最高司令官でもあるのでもう憲法違反とは言えなくなってしまった。さらに村山さんは安保条約についてもつい口が滑って、国会で「堅持する」と言ってしまった。これが「安保条約は〝容認〟する」であればまだ問題になっていなかったはずなのに、「堅持」では過去の党の方針との整合性を全く取れなくなってしまった。「一将功成りて万骨枯る」。なまじっか変なところで総理大臣を出してしまったがために、社会党はガタガタになってしまいましたね。

佐藤　それにその時点ともなると、社会党の国会議員に社会主義協会系の人は完全にいなくなっていましたしね。

当時の社会党を引っ張っていた横路孝弘《よこみちたかひろ》さんや土井《どい》たか子《こ》さんは、今では社民党の中でも左派的な政治家と見られていますけど、実際は反社会主義協会で右翼社民です。辻元清美《つじもときよみ》さんなどになるとマルクス主義への関心じたい、普段の言動から全く感じられません。私の母親は、「鈴木宗男事件」の時に辻元さんが国会で私のことをボロクソに言っているのを聞いて、「なんでよりによって社青同の活動家だったあなたが社民党に攻撃されなければいけないんだ」と憤っていました。母はあれで社民党支持をやめたんです。

池上　さらに社会党の退潮を後押しした要因に労働運動の退潮もありましたね。その象徴であり原動力にもなったのが、中曽根康弘《なかそねやすひろ》政権が国鉄分割民営化の際に行った国労潰しでした。

佐藤　ただ国労も、潰されても仕方ないようなことは実際にやっていましたからね。何度もストを打っては、ストを解除する見返りとして経営側に「現場協議制度」の導入を認めさせ、会社単位でなく駅単位、保線区単位で労働条件に関する細かい協定を結んでよいという仕組みをつくってしまった。これのせいで国鉄はものすごく混乱してしまった。

池上　そうでしたね。

佐藤　「さぼればさぼるほど革命に近づく」などとうそぶいてサボタージュを煽るダラ幹（堕落した幹部）までいましたからね。それじゃあやっぱりダメですよ。総評に加盟する他の組合に対しては「労働者としての自覚を持て」なんて立派なことを言いながら、自分たちがそれではね。

　このあたりの労働運動の歴史になると、また色々と捻れがあって興味深いのですけどね。

内ゲバの時代へ……

池上　さて、今回の対談では戦後から六〇年安保までの左翼史を見てきました。

　社会党と共産党という、戦後の日本に存在した二つの左翼政党の成功と挫折といいますか、それぞれのいい時期と悪い時期を振り返ったこと、またこの二党がスターリン批判という大きな節目に対して取った対照的な姿勢を整理できたことで、新左翼のような存在が登場することになった理由も明確になったのではないかと思います。

佐藤　次回の対談では、一九六八年頃に盛り上がった学生運動と、七〇年安保のほか中核派と革マル派による内ゲバ、そして山岳ベース事件や浅間山荘事件など、連合赤軍によって引き起こされた重大事件について主に言及していくことになるはずです。

冒頭でも話しましたが、今回の対談を企画した理由の一つは、来たるべき左翼の時代にそうした凄惨な内ゲバが繰り返されないようにすることです。ただそうした陰惨な内ゲバの中で、現在も注目に値する理論を紡いだ言論人たちも多数出ました。黒田寛一についても話したいことはまだまだたくさんあります。

池上　私にとっては、自分の実体験と重なる話題は今回よりずっと多くなるだろうと思います。怖いような気もしますが、次回の対談を楽しみにしています。

おわりに

本書はコロナ禍後の日本社会を強く意識して作られた本だ。

コロナ禍後、格差が拡大する。それには二つの要因がある。

一つ目は、従来の日本の経済・社会構造に起因する。格差の構造も重層的だ。階級間での格差が拡大する。特に非正規労働者のように構造的に弱い立場に置かれた人々は、賃金も低く、解雇されやすい。地域間の格差も拡大する。

富が東京に集中する傾向は今後、一層、拡大するであろう。東京は、富裕層と中間階級上層（世帯所得が二〇〇〇万円以上）の人々と、人でなくてはできない仕事に従事するエッセンシャルワーカーや低賃金のサービス業に従事する人々に二極化してくるであろう。

特に東京では、教育格差が拡大していくと思う。日本では、大学院以上の教育を受けて修士号を持ち、外国に留学し、博士号を取得したビジネスパーソンや高級官僚が増えてくる。この人たちは、日本語だけでなく、英語と中国語を流暢に操るであろう。高度な知的訓練を受けていることが、富裕層や中間階級上層に加わる条件になってくると思う。

他方、大学を出ても、自らの専門知や技能を仕事に生かすことが出来ない高学歴ワーキングプアも少なからず出てくる。地方経済は別の生態系を持つ。コンサルタントの藤野英人氏が「ヤンキーの虎」と名付けた、学歴はそれほど高くないが起業家精神に富んだ地元のリーダーが介護、飲食、風俗、物流などあらゆる分野を扱う小規模なコングロマリット（複合企業）を作り、それが地方の行政や議会と一体化し、二一世紀の「藩」が形成される可能性が高いと思う。

この人たちは、日本語だけで生活する。もちろんビジネスや観光で、外国人とコミュニケーションを取る必要も生じるが、自動翻訳機で対応すれば、特段の支障は生じない。このような状況では多額の費用と時間をかけて英語を学ぶ動機がなくなってしまう。地方では住宅費、生活費が安いので、世帯収入が五〇〇万〜七〇〇〇万円でも子どもを地元の国公立大学に進学させることは可能になる。しかし、このような教育を受けた人が東京で政治、経済、文化エリートに参入する際の障壁は、現在よりもはるかに高くなる。平たく言うと、米国と同じ様な格差社会に日本が本格的に転換していくということだ。

コロナ禍後、格差が拡大する二つ目の要因は、デジタル化の加速だ。ＡＩ（人工知能）はすでにビジネスに活用されているが、それが急速に広がり、現在、事務職のビジネスパーソンが従事していた経理、審査、営業などの人員が大幅に削減される。かつてホワイトカラーと呼ばれていた階層が解体され、そのうちごく一部の高度な専門知識もしくは管理能力を持つ人々が中間階級上層になり、大部分は低賃金のエッセンシャルワーカーかサービス業に移動せざるを得なくなる。

同じ人間なのに産まれた家庭の経済力の差によって、子どもたちの持つ可能性が異なってくる。特に重要なのが教育を通じて得られる目に見えない文化的資産だ。この文化的資産が将来の所属階層を決定する。日本国民は、法の上では平等に教育を受ける権利、勤労の義務を負っているが、それが実質的に担保されなくなる。こういう状況になると「高望みをしても仕方がない」と受動的になってしまう人もいるが、社会構造に問題があるという意識を強く持ち、社会の構造を変えようとする人も一定数出てくる。

日本ではほぼ死語になっている社会主義（socialism）という言葉が、ヨーロッパのみならず伝統的に社会主義に対する抵抗感の強い米国においても、最近、頻繁に用いられるようになっている。日本でも近未来に社会主義の価値が、肯定的文脈で見直されることになると思う。

その際に重要なのは、歴史に学び、過去の過ちを繰り返さないように努力することだ。日本における社会主義の歴史を捉える場合、共産党、社会党、新左翼の全体に目配りをして、その功罪を明らかにすることが重要と私は考えている。

一九九一年一二月のソ連崩壊は、日本の社会主義運動に決定的に重要な影響を及ぼした。社会党左派と新左翼の社会に与える影響力は著しく衰退した。大学の講座でもマルクス主義系の学知が伝えられなくなった。その結果、左翼の世界においては共産党の一人勝ちになっている。現実に影響を与える左翼史の研究、マルクス・レーニン主義（現在の共産党用語では科学的社会主義）や『資本論』の解釈において、共産党のバイアス（偏見）が極端にかかるようになっている。日本共産党の本質はスターリン主義党だ。資本主義の構造悪を断ちきろうとするためにスターリン主義という別の構造悪を導入することは避けなくてはならない。この問題意識が読者に共有していただければ幸甚だ。

本対談は、現下の論壇で活躍する人の中では例外的に社会党左派について詳しい池上彰氏の協力がなければ成立しませんでした。深く感謝申し上げます。本書を上梓するにあたっては講談社現代新書の青木肇編集長、小林雅宏氏、ライターの古川琢也氏にたいへんにお世話になりました。どうもありがとうございます。

二〇二一年五月一五日、曙橋（東京都新宿区）の書庫にて

佐藤優

写真提供：共同通信社（P43、P85、P94、P141、P187）
朝日新聞社（P13）
講談社資料センター（P47、P48、P55、P56、P60、P77、P138、P174、P179、P199）

JASRAC 出 2104460-101

N.D.C.210　229p　18cm
ISBN978-4-06-523534-8

講談社現代新書　2620

真説《しんせつ》　日本《にほん》左翼史《さよくし》　戦後《せんご》左派《さは》の源流《げんりゅう》　1945—1960

二〇二一年六月二〇日第一刷発行　二〇二一年八月一〇日第一二刷発行

著者　池上《いけがみ》彰《あきら》　佐藤《さとう》優《まさる》

発行者　鈴木章一

発行所　株式会社講談社
東京都文京区音羽二丁目一二—二一　郵便番号一一二—八〇〇一
電話　〇三—五三九五—三五二一　編集（現代新書）
〇三—五三九五—四四一五　販売
〇三—五三九五—三六一五　業務

装幀者　中島英樹

印刷所　株式会社KPSプロダクツ

製本所　株式会社国宝社

本文データ制作　講談社デジタル製作

定価はカバーに表示してあります　Printed in Japan

「講談社現代新書」の刊行にあたって

教養は万人が身をもって養い創造すべきものであって、一部の専門家の占有物として、ただ一方的に人々の手もとに配布され伝達されうるものではありません。

しかし、不幸にしてわが国の現状では、教養の重要な養いとなるべき書物は、ほとんど講壇からの天下りや単なる解説に終始し、知識技術を真剣に希求する青少年・学生・一般民衆の根本的な疑問や興味は、けっして十分に答えられ、解きほぐされ、手引きされることがありません。万人の内奥から発した真正の教養への芽ばえが、こうして放置され、むなしく滅びさる運命にゆだねられているのです。

このことは、中・高校だけで教育をおわる人々の成長をはばんでいるだけでなく、大学に進んだり、インテリと目されたりする人々の精神力の健康さえもむしばみ、わが国の文化の実質をまことに脆弱なものにしています。単なる博識以上の根強い思索力・判断力、および確かな技術にささえられた教養を必要とする日本の将来にとって、これは真剣に憂慮されなければならない事態であるといわなければなりません。

わたしたちの「講談社現代新書」は、この事態の克服を意図して計画されたものです。これによってわたしたちは、講壇からの天下りでもなく、単なる解説書でもない、もっぱら万人の魂に生ずる初発的かつ根本的な問題をとらえ、掘り起こし、手引きし、しかも最新の知識への展望を万人に確立させる書物を、新しく世の中に送り出したいと念願しています。

わたしたちは、創業以来民衆を対象とする啓蒙の仕事に専心してきた講談社にとって、これこそもっともふさわしい課題であり、伝統ある出版社としての義務でもあると考えているのです。

一九六四年四月　野間省一

日本史Ⅰ

1258 身分差別社会の真実——斎藤洋一 大石慎三郎
1265 七三一部隊——常石敬一
1292 日光東照宮の謎——高藤晴俊
1322 藤原氏千年——朧谷寿
1379 白村江——遠山美都男
1394 参勤交代——山本博文
1414 謎とき日本近現代史 野島博之
1599 戦争の日本近現代史 加藤陽子
1648 天皇と日本の起源 遠山美都男
1680 鉄道ひとつばなし——原武史
1702 日本史の考え方——石川晶康
1707 参謀本部と陸軍大学校 黒野耐

1797 「特攻」と日本人——保阪正康
1885 鉄道ひとつばなし2——原武史
1900 日中戦争——小林英夫
1918 日本人はなぜキツネにだまされなくなったのか 内山節
1924 東京裁判——日暮吉延
1931 幕臣たちの明治維新 安藤優一郎
1971 歴史と外交——東郷和彦
1982 皇軍兵士の日常生活 一ノ瀬俊也
2031 明治維新 1858-1881 坂野潤治 大野健一
2040 中世を道から読む——齋藤慎一
2089 占いと中世人——菅原正子
2095 鉄道ひとつばなし3——原武史
2098 戦前昭和の社会 1926-1945——井上寿一

2106 戦国誕生——渡邊大門
2109 「神道」の虚像と実像 井上寛司
2152 鉄道と国家——小牟田哲彦
2154 邪馬台国をとらえなおす——大塚初重
2190 戦前日本の安全保障——川田稔
2192 江戸の小判ゲーム——山室恭子
2196 藤原道長の日常生活 倉本一宏
2202 西郷隆盛と明治維新 坂野潤治
2248 城を攻める 城を守る——伊東潤
2272 昭和陸軍全史1——川田稔
2278 織田信長〈天下人〉の実像 金子拓
2284 ヌードと愛国——池川玲子
2299 日本海軍と政治——手嶋泰伸

日本史Ⅱ

政治・社会

1145 冤罪はこうして作られる　小田中聰樹
1201 情報操作のトリック　川上和久
1488 日本の公安警察――青木理
1540 戦争を記憶する――藤原帰一
1742 教育と国家――高橋哲哉
1965 創価学会の研究――玉野和志
1977 天皇陛下の全仕事――山本雅人
1978 思考停止社会――郷原信郎
1985 日米同盟の正体――孫崎享
2068 財政危機と社会保障――鈴木亘
2073 リスクに背を向ける日本人　山岸俊男 メアリー・C・ブリントン
2079 認知症と長寿社会――信濃毎日新聞取材班

2115 国力とは何か――中野剛志
2117 未曾有と想定外――畑村洋太郎
2123 中国社会の見えない掟　加藤隆則
2130 ケインズとハイエク　松原隆一郎
2135 弱者の居場所がない社会　阿部彩
2138 超高齢社会の基礎知識　鈴木隆雄
2152 鉄道と国家――小牟田哲彦
2183 死刑と正義――森炎
2186 民法はおもしろい――池田真朗
2197 「反日」中国の真実――加藤隆則
2203 ビッグデータの覇者たち――海部美知
2246 愛と暴力の戦後とその後――赤坂真理
2247 国際メディア情報戦――高木徹

2294 安倍官邸の正体――田﨑史郎
2295 福島第一原発事故 7つの謎　NHKスペシャル『メルトダウン』取材班
2297 ニッポンの裁判――瀬木比呂志
2352 警察捜査の正体――原田宏二
2358 貧困世代――藤田孝典
2363 下り坂をそろそろと下る　平田オリザ
2387 憲法という希望――木村草太
2397 老いる家 崩れる街　野澤千絵
2413 アメリカ帝国の終焉　進藤榮一
2431 未来の年表――河合雅司
2436 縮小ニッポンの衝撃　NHKスペシャル取材班
2439 知ってはいけない――矢部宏治
2455 保守の真髄――西部邁

経済・ビジネス

350 経済学はむずかしくない〈第2版〉──都留重人
1596 失敗を生かす仕事術　畑村洋太郎
1624 企業を高めるブランド戦略──田中洋
1641 ゼロからわかる経済の基本──野口旭
1656 コーチングの技術──菅原裕子
1926 不機嫌な職場──高橋克徳 河合太介 永田稔 渡部幹
1992 経済成長という病──平川克美
1997 日本の雇用──大久保幸夫
2010 日本銀行は信用できるか　岩田規久男
2016 職場は感情で変わる　高橋克徳
2036 決算書はここだけ読め!──前川修満
2064 決算書はここだけ読め! キャッシュ・フロー計算書編　前川修満
2125 ビジネスマンのための「行動観察」入門　松波晴人
2148 経済成長神話の終わり　アンドリュー・J・サター 中村起子 訳
2171 経済学の犯罪──佐伯啓思
2178 経済学の思考法──小島寛之
2218 会社を変える分析の力　河本薫
2229 ビジネスをつくる仕事　小林敬幸
2235 20代のための「キャリア」と「仕事」入門──塩野誠
2236 部長の資格──米田巖
2240 会社を変える会議の力　杉野幹人
2242 孤独な日銀──白川浩道
2261 変わった世界 変わらない日本──野口悠紀雄
2267 「失敗」の経済政策史　川北隆雄
2300 世界に冠たる中小企業　黒崎誠
2303 「タレント」の時代──酒井崇男
2307 AIの衝撃──小林雅一
2324 〈税金逃れ〉の衝撃　深見浩一郎
2334 介護ビジネスの罠──長岡美代
2350 仕事の技法──田坂広志
2362 トヨタの強さの秘密　酒井崇男
2371 捨てられる銀行──橋本卓典
2412 楽しく学べる「知財」入門──稲穂健市
2416 日本経済入門──野口悠紀雄
2422 捨てられる銀行2 非産運用──橋本卓典
2423 勇敢な日本経済論──高橋洋一 ぐっちーさん
2425 真説・企業論──中野剛志
2426 東芝解体 電機メーカーが消える日　大西康之

世界史Ⅰ

834 ユダヤ人——上田和夫
930 フリーメイソン——吉村正和
934 大英帝国——長島伸一
968 ローマはなぜ滅んだか 弓削達
1017 ハプスブルク家——江村洋
1019 動物裁判——池上俊一
1076 デパートを発明した夫婦 鹿島茂
1080 ユダヤ人とドイツ——大澤武男
1088 ヨーロッパ「近代」の終焉——山本雅男
1097 オスマン帝国——鈴木董
1151 ハプスブルク家の女たち 江村洋
1249 ヒトラーとユダヤ人 大澤武男
1252 ロスチャイルド家 横山三四郎
1282 戦うハプスブルク家 菊池良生
1283 イギリス王室物語——小林章夫
1321 聖書vs.世界史——岡崎勝世
1442 メディチ家——森田義之
1470 中世シチリア王国——高山博
1486 エリザベスI世——青木道彦
1572 ユダヤ人とローマ帝国 大澤武男
1587 傭兵の二千年史——菊池良生
1664 新書ヨーロッパ史 中世篇 堀越孝一 編
1673 神聖ローマ帝国——菊池良生
1687 世界史とヨーロッパ 岡崎勝世
1705 魔女とカルトのドイツ史——浜本隆志
1712 宗教改革の真実——永田諒一
2005 カペー朝——佐藤賢一
2070 イギリス近代史講義——川北稔
2096 モーツァルトを「造った」男——小宮正安
2281 ヴァロワ朝——佐藤賢一
2316 ナチスの財宝——篠田航一
2318 ヒトラーとナチ・ドイツ 石田勇治
2442 ハプスブルク帝国——岩崎周一

世界史Ⅱ

959 東インド会社——浅田實
971 文化大革命——矢吹晋
1085 アラブとイスラエル 高橋和夫
1099 「民族」で読むアメリカ 野村達朗
1231 キング牧師とマルコムX 上坂昇
1306 モンゴル帝国の興亡〈上〉——杉山正明
1307 モンゴル帝国の興亡〈下〉——杉山正明
1366 新書アフリカ史——宮本正興 松田素二 編
1588 現代アラブの社会思想 池内恵
1746 中国の大盗賊・完全版——高島俊男
1761 中国文明の歴史——岡田英弘
1769 まんが パレスチナ問題 山井教雄
1811 歴史を学ぶということ 入江昭
1932 都市計画の世界史——日端康雄
1966 〈満洲〉の歴史——小林英夫
2018 古代中国の虚像と実像 落合淳思
2025 まんが 現代史——山井教雄
2053 〈中東〉の考え方——酒井啓子
2120 居酒屋の世界史——下田淳
2182 おどろきの中国 橋爪大三郎 大澤真幸 宮台真司
2189 世界史の中のパレスチナ問題 臼杵陽
2257 歴史家が見る現代世界 入江昭
2301 高層建築物の世界史 大澤昭彦
2331 続 まんが パレスチナ問題 山井教雄
2338 世界史を変えた薬 佐藤健太郎
2345 鄧小平——エズラ・F・ヴォーゲル 聞き手＝橋爪大三郎
2386 〈情報〉帝国の興亡——玉木俊明
2409 〈軍〉の中国史——澁谷由里
2410 入門 東南アジア近現代史 岩崎育夫
2445 珈琲の世界史——旦部幸博
2457 世界神話学入門——後藤明
2459 9・11後の現代史 酒井啓子

哲学・思想Ⅰ

66 哲学のすすめ――岩崎武雄
159 弁証法はどういう科学か 三浦つとむ
501 ニーチェとの対話――西尾幹二
871 言葉と無意識――丸山圭三郎
898 はじめての構造主義 橋爪大三郎
916 哲学入門一歩前――廣松渉
921 現代思想を読む事典 今村仁司 編
977 哲学の歴史――新田義弘
989 ミシェル・フーコー 内田隆三
1001 今こそマルクスを読み返す 廣松渉
1286 哲学の謎――野矢茂樹
1293 「時間」を哲学する――中島義道

1315 じぶん・この不思議な存在――鷲田清一
1357 新しいヘーゲル――長谷川宏
1383 カントの人間学――中島義道
1401 これがニーチェだ――永井均
1420 無限論の教室――野矢茂樹
1466 ゲーデルの哲学――高橋昌一郎
1575 動物化するポストモダン 東浩紀
1582 ロボットの心――柴田正良
1600 ハイデガー＝存在神秘の哲学――古東哲明
1635 これが現象学だ――谷徹
1638 時間は実在するか 入不二基義
1675 ウィトゲンシュタインはこう考えた 鬼界彰夫
1783 スピノザの世界――上野修

1839 読む哲学事典――田島正樹
1948 理性の限界――高橋昌一郎
1957 リアルのゆくえ――大塚英志 東浩紀
1996 今こそアーレントを読み直す――仲正昌樹
2004 はじめての言語ゲーム――橋爪大三郎
2048 知性の限界――高橋昌一郎
2050 超解読！ はじめてのヘーゲル『精神現象学』 竹田青嗣 西研
2084 はじめての政治哲学 小川仁志
2099 超解読！ はじめてのカント『純粋理性批判』 竹田青嗣
2153 感性の限界――高橋昌一郎
2169 超解読！ はじめてのフッサール『現象学の理念』――竹田青嗣
2185 死別の悲しみに向き合う――坂口幸弘
2279 マックス・ウェーバーを読む――仲正昌樹

知的生活のヒント

78 大学でいかに学ぶか 増田四郎
86 愛に生きる——鈴木鎮一
240 生きることと考えること 森有正
297 本はどう読むか——清水幾太郎
327 考える技術・書く技術——板坂元
436 知的生活の方法——渡部昇一
553 創造の方法学——高根正昭
587 文章構成法——樺島忠夫
648 働くということ——黒井千次
722 「知」のソフトウェア——立花隆
1027 「からだ」と「ことば」のレッスン——竹内敏晴
1468 国語のできる子どもを育てる——工藤順一
1485 知の編集術——松岡正剛
1517 悪の対話術——福田和也
1563 悪の恋愛術——福田和也
1620 相手に「伝わる」話し方 池上彰
1627 インタビュー術！——永江朗
1679 子どもに教えたくなる算数 栗田哲也
1865 老いるということ——黒井千次
1940 調べる技術・書く技術——野村進
1979 回復力——畑村洋太郎
1981 日本語論理トレーニング——中井浩一
2003 わかりやすく〈伝える〉技術——池上彰
2021 新版 大学生のためのレポート・論文術——小笠原喜康
2027 地アタマを鍛える知的勉強法——齋藤孝
2046 大学生のための知的勉強術——松野弘
2054 〈わかりやすさ〉の勉強法——池上彰
2083 人を動かす文章術——齋藤孝
2103 アイデアを形にして伝える技術——原尻淳一
2124 デザインの教科書——柏木博
2165 エンディングノートのすすめ——本田桂子
2188 学び続ける力——池上彰
2201 野心のすすめ——林真理子
2298 試験に受かる「技術」——吉田たかよし
2332 「超」集中法——野口悠紀雄
2406 幸福の哲学——岸見一郎
2421 牙を研げ 会社を生き抜くための教養 佐藤優
2447 正しい本の読み方 橋爪大三郎